# 汤姆·索亚历险记

[美] 马克·吐温 著

潘明元　曹智英　贾文渊 译

中国致公出版社

图书在版编目(CIP)数据

汤姆·索亚历险记/(美)马克·吐温(Twain,M.)著;潘明元,曹智英,贾文渊译.—北京:中国致公出版社,2003.2
(永久记忆版世界文学名著文库.第1辑)
ISBN 7-80179-115-0

Ⅰ.汤…　Ⅱ.①马…②潘…③曹…④贾…　Ⅲ.儿童文学－长篇小说－美国－近代　Ⅳ.I712.84

中国版本图书馆 CIP 数据核字(2003)第 002312 号

## 汤姆·索亚历险记

译　　　者:潘明元　曹智英　贾文渊
责任编辑:子　龙

出版发行:中国致公出版社
　　　　　(北京市西城区太平桥大街 4 号 电话 66168543 邮编 100810)
经　　　销:全国新华书店
印　　　刷:北京市燕山印刷厂
开　　　本:850×1168　1/32
印　　　张:264.75
字　　　数:6877 千字
版　　　次:2003 年 2 月第 1 版　2003 年 2 月北京第 1 次印刷
印　　　数:5000 册

ISBN 7-80179-115-0/I·001　　　　　定价:425.00 元(全二十三册)

# 导　　读

　　马克·吐温(一八三五～一九一〇)是美国杰出小说家,著名幽默大师,美国文学语言的奠定者之一,对美国文学影响深远。一生经历丰富,著作等身,擅长幽默讽刺,语言诙谐精练,嬉笑怒骂,对资本主义社会现实揭露得淋漓尽致。作品深受世界读者喜爱。

　　《汤姆·索亚历险记》是马克·吐温四大名著之一,是有名的儿童惊险小说,发表于一八七六年。小说描写的是南北战争前一个小镇上的孩子汤姆·索亚的故事。他不满意枯燥乏味的生活环境,想要追求新奇冒险的经历。作者把生气勃勃的儿童心理同陈腐刻板的生活环境进行对照,反衬出社会环境对儿童成长的不良影响。汤姆是小说主要刻画的人物,他讨厌虚假的社会礼节,厌恶死读书,常常在课堂上"捣乱"。他还把牧师的布道当成催眠曲,在教堂里"恶作剧"。由于小说对儿童自由活泼的心灵描绘得细致入微,饶有兴致,因此人物形象栩栩如生。比如小说第二章有关出让刷墙权的那段描写,对儿童心理的把握非常准确,描写也很生动,展现了汤姆杰出的领导才能。其他孩子不但替汤姆把墙刷了,而且还赔了老本。而当他们在刷墙时,汤姆却坐在旁边暗笑。

　　这本小说原本是儿童小说,但是由于它反映出了一个重要的社会问题,即儿童的教育问题,使它的意义远远超出了儿童读物的范围,而是引起了社会的广泛关注。这部小说和作者后来的小说《哈克贝利·费恩历险记》,一直被作为美国学生的必读书。而且因为小说反映的追求自由的理想,也打动了深陷社会中的人们,从而赢得了广泛的成年读者。作者对这点显然有远见,他在原序中写道："写这本小说，我主要是为了娱乐孩子们，但我希望大人们不要因为这是本小孩看的书，就将之束之高阁。"因为阅读这本小说能让"成年人从中想起当年的他们自己，那时的情感、思想、言谈以及一些令人不可思议的做法。"

# 第 一 章

"汤姆!"

没人答应。

"汤姆!"

没人答应。

"这孩子跑什么鬼地方去了? 嗨,汤姆!"

还是没人答应。

这位老妇人把眼镜往下拉了拉,两眼从镜框上扫视屋子,接着又把眼镜推上额头,从眼镜下面望出去。她从不透过镜片看孩子,孩子属于微不足道的小东西。这副眼镜是她的装饰,是她的骄傲,戴了它才有气派,至于用途倒在其次。她就是两眼罩上两个炉栅,作用跟眼镜也不相上下。她一时有点不知所措,然后又开口了,这次倒并不声嘶力竭,不过声音大得足能让所有家具都听到:

"我发誓,抓住你非得……"

她的后半句话没说出来,因为她弯下腰,憋足了劲,用笤帚盲目横扫床下,一时喘不上气来,结果把猫儿打跑了。

"这孩子从来让人捉摸不透!"

她走向敞开的门,站在门口,望着园子里的西红柿蔓和杂草。汤姆不在那儿。她抬高嗓门,朝远处嚷道:

"嗨! 汤姆!"

身后有个轻微的声响,她转过身,刚好看见一个小男孩溜进屋里的背影。

"嘿! 我该想到你躲在柜子里。你在那里干吗?"

"没干吗。"

"没干吗! 看看你那双手。瞧瞧你的嘴巴。那是什么?"

"我不知道,姨妈。"

"可我知道。是果酱……没错。我告诉过你四十遍了,要是你敢碰果酱,我就剥你的皮。把鞭子拿来。"

鞭子已经举起,形势危急万分……

"天哪!姨妈,看那是谁来了!"

老妇人连忙提着裙摆转身,危险消逝了。男孩拔脚逃走,爬上高高的木篱笆墙,消失得无影无踪。

他的波利姨妈惊诧了片刻,接着爆发出一阵温和的笑声。

"该死的孩子。他的鬼把戏玩了一套又一套,我怎么总是上当?唉,老傻瓜都是大傻瓜,老狗学不会新本事,这谚语没错。可是,这孩子两天来玩的花招就没个重样,谁知道他下一步又要耍什么把戏?看来他懂得我的忍耐性有多大,刚好不让我发作。他还会逗得我忍俊不禁,这就把他的罪过一笔勾销了,我怎么也不会下手打他。说句大实话,老天在上,我没有对这孩子尽到责任。那本好书上说,棍棒之下出英才。我是既有罪又遭罪,这我心里明白。他满脑袋鬼点子,可我拿他有什么办法!我亲妹妹死后,留下这孩子,可怜的娃娃,我哪能铁起心肠打他呢?我每次放过他,就觉得良心受谴责;可我每次打他,又觉得这颗老心脏要碎了。唉,就像经文上说的,男人是女人生的,没几天日子好过,却总是找麻烦。我打赌,这话没错。今儿下午他要逃学,我有义务教他改错。明天惩罚他。星期六,别的孩子都在享受休假,逼他干活真够他受的。可他最讨厌的就是干活。我得对他尽点义务,要不这孩子就毁了。"

汤姆当然逃学了。他玩得非常开心,几乎没按时回来帮黑人孩子吉姆干活。晚饭前,吉姆正在劈第二天要用的柴。他总算及时回来把自己当天的冒险经历讲给吉姆听,结果,吉姆只干了四分之三的活计。汤姆的同母异父弟弟锡德是个性情平静的孩子,他已经干完自己捡木片的活儿了。他既不冒险,也不讨人厌。

吃晚饭的时候,汤姆一有机会就偷吃糖,波利姨妈问了他许多又深奥又巧妙的问题,想让他露出马脚。她就像许多心地单纯的

人一样,自以为具有圆滑的社交天才,并以此感到自豪。她喜爱设计出可怜的诡计,其实一下子就让人猜透了。她开口道:

"汤姆,学校挺热的,是不是?"

"没错。"

"热极了,对不对?"

"没错。"

"你没想过出去游泳吗,汤姆?"

汤姆浑身一惊,心里狐疑。他朝波利姨妈脸上扫了一眼,可是姨妈脸上没有什么表情。他就说:

"没想过。嗯,不太想。"

老妇人伸手摸了摸汤姆的衬衫,说:

"那是因为你现在不觉得太热,"她心里沾沾自喜,因为既发现衬衫是干的,又没有让人看出自己的心思。不过,汤姆看出了她的心思,先走了一着棋:

"我们泵起水冲了冲脑袋,现在还没干呢。对吧?"

波利姨妈有点懊恼,自己怎么忽略了这一迹象,遗漏了他的一个把戏。接着她有了个新主意:

"汤姆,你给脑袋冲凉的时候,没有扯开我在你衬衫领口缝的线吧?把衣服解开!"

汤姆脸上疑云顿开。他解开外套,只见衬衫领子还牢牢地缝在一起。

"真叫人操心!去吧。我还以为你又逃了学去游泳呢。不过我原谅你,汤姆。你就像谚语说的,已经恶名在外了。这次还不坏。"

她为自己过于聪明稍感后悔,又为汤姆这一次变得顺从心中窃喜。

可是锡德开口说:

"哟。我记得你缝他领口用的是白线,可现在变成黑线了。"

"怎么回事,汤姆?我用的的确是白线!"

汤姆没等下文,溜出了屋子。到了门口,他说:

"锡德,我非揍你不可。"

脱离危险之后,汤姆察看了外套翻领下别的两枚针,上面还穿着线,一根针上是白线,另一根上是黑线。他说:

"要不是锡德,她准看不出。真倒霉!她有时用白线,有时用黑线。要是她只用一种就好了,省得我搞错。不过,我发誓非得揍锡德一顿,给他个教训!"

他不是村子里的模范孩子。不过,他了解那个模范孩子,见了就觉得恶心。

没出两分钟,他已经把心头的不快忘了个一干二净。这倒不是因为他的烦恼比起成年人的麻烦来显得无足轻重,而是因为眼前出现一桩新奇事,一时间让他把烦恼全都忘了个干净。成人也是一个样,一桩新鲜的乐趣能让他们把不幸抛在脑后。吸引了汤姆的是个珍贵的宝贝————一只哨子,是他刚刚从一个黑人那里弄来的。他渴望找个没人打扰的地方吹个痛快。弯弯的哨子形状像只鸟儿,发出的声音也像鸟儿的叫声一样婉转嘹亮。吹的时候,要用舌头顶住吹口来回快速抽动。如果读者曾经是个男孩,准记得该怎么吹。汤姆既勤奋又专注,很快便掌握了窍门,得意洋洋高奏凯歌,沿着马路走去。他的感觉就像个天文学家发现了一颗新的行星一样得意。要说感情的强烈程度及喜悦的单纯,天文学家绝对比不上这孩子。

夏季的午后相当漫长,到这时天还没黑。汤姆很快便不再吹哨子。面前出现一个陌生人。是个比他稍大的男孩。在圣彼得斯堡这个可怜的小镇子里,突然出现个陌生人,不论是男是女,也不论年纪有多大,都会引起人们强烈的好奇。尽管这天不是星期日,这个男孩却穿着上好的衣服。仅仅这一点就让人惊骇不已。他头戴讲究的软帽,身穿蓝色的新衣服,钮扣全都扣得整整齐齐,裤子也一样整洁。再说啦,今天才星期五,可他还穿着鞋。他甚至还扎着领带,鲜艳耀眼。他浑身洋溢着城里人的气质,把汤姆比得黯然失色。汤姆盯着眼前这个耀眼的人物。他抬头看的时间越久,与那身新衣服相比,自己身上的衣裳就越显得破烂褴褛。两个男孩都没开口。要是一个孩子移动一下,另一个也动,只是面对面横着走,四只眼睛相互瞪着绕圈子。最后汤姆说:

"我能打过你!"

"我看你敢动手!"

"我敢。"

"你不敢。"

"我敢。"

"你不敢。"

"我敢。"

"你不敢。"

"敢!"

"不敢!"

一阵不安的停顿过后,汤姆说:

"你叫什么名字?"

"你管不着。"

"我就要管。"

"那你就管啊!"

"你要敢多说一个字,我就管。"

"我就要说,就要说,就要说。我说啦。"

"嗬,你觉得挺了不起,是不是?我要是想揍你,就是把一只手绑在身后,也能打你个落花流水。"

"干吗不动手?你说了能打过我。"

"你要敢小瞧我,我非动手不可。"

"是吗?我看这儿人都是穷鬼。"

"自以为是!你自以为了不起?瞧你那顶恶心帽子!"

"不喜欢就动一动这帽子呀。有胆量就试试看。谁敢动一动我的帽子,就让他趴在地上吃屎。"

"你是个骗子!"

"你才是骗子。"

"你说敢跟我打架,又不敢动手。"

"噢,滚开吧!"

"嘿,要是你再敢跟我说废话,我拿块石头敲下你的脑袋。"

"你当然敢啦。"

"我真的会干。"

"那干吗不动手? 光说不练算什么本事? 干吗不动手? 害怕了吧。"

"我不怕。"

"你怕。"

"我不怕。"

"你怕。"

再次停顿。两个孩子又相互瞪眼,绕着圈子。不久,两人开始抗膀子。汤姆说:

"从这儿滚开!"

"你自己滚开!"

"我不。"

"我也不。"

两个孩子就这么站着,每人都前腿弓,后腿蹬,使劲用力撞对方,眼睛里闪烁出怒火,谁也没有占上风。不停的冲撞持续到两人面红耳赤浑身发热,然后怀着警惕松懈下来。汤姆说:

"你是个胆小鬼,是个小狗。我要告诉我哥哥。他伸出一根小指头就能把你打趴下。我要叫他来打你。"

"谁会在乎你哥哥? 我有个哥哥比他大,能把他从那片篱笆上扔过去。"可惜两个哥哥都是想像出来的。

"胡说八道。"

"你只敢说不敢干。"

汤姆用大脚趾在土地上画了道线,说:

"你要敢跨过这条线,我就把你打倒在地,让你站不起来。谁跨过这线,谁就是偷羊贼。"

新来的孩子立刻跨过线说:

"你可是说了要动手,我看你有没有这个胆。"

"别挤我,你小心点。"

"你说过要动手,干吗不打呀?"

"我打赌! 只要给我两分钱,我就打。"

新来的孩子从口袋里掏出两枚大铜板,举起来嘲弄他。汤姆伸手把硬币打落在地。顷刻之间,两个孩子就打成一团,在地上翻滚,像两只猫一样厮咬,相互撕扯对方的头发和衣裳,砸对方的鼻子,抓敌手的脸。不出一分钟,两个娃娃已经浑身是土,脸上挂彩。很快,战局明朗化了,汤姆在鏖战的尘土中露了面。只见他骑在新来的孩子身上,使劲挥动着拳头,嘴里不住地说:"你叫哇,你嚷啊!"

下面那孩子使劲挣扎,想要挣脱身子。他在哭喊,当然,主要是出于愤怒。

"你叫哇,你嚷哪!"拳头在继续砸。

最后,陌生孩子上气不接下气喊了声:"饶命!"汤姆放他站起身,说:"先给你个教训。下次最好先瞧瞧对手是谁。"

新来的孩子走了,一路边拍打身上的土,边吸着鼻子抽泣,还不时回头恶狠狠地威胁汤姆,说等下次抓住他再说。汤姆听了拼命嘲笑他,然后趾高气扬地走开。他刚一转身,新来的孩子拾起一块石头,朝他扔过来,正打在他背上,然后那孩子像羚羊一般夹起尾巴跑走了。汤姆跟在施暗箭者身后猛追,直到他躲进自己家。汤姆知道新来的孩子在哪儿住了,就在大门外面摆开架势,大声向敌人挑战叫阵。可是敌人只是在窗户上露了下脸,就藏起来了。最后,敌人的妈妈出来,骂汤姆是个粗鄙野蛮的坏小子,要赶他走。于是他就走了,不过他说,他瞧不起那个下贱的男孩。

那天晚上,他挺晚才回家。虽然他小心翼翼地从窗户里爬进家,结果还是中了姨妈的埋伏。她见他衣服弄成一塌糊涂,便拿定主意,要罚这个小囚徒星期六干一天苦工。

# 第 二 章

星期六早晨,阳光明媚,空气清新,到处洋溢着夏日的盎然生机。每一颗心都在歌唱,年轻人不禁把心中的歌唱出来。每一张面孔都露出欢乐,每一个脚步都十分轻盈。洋槐正在开花,空气中充满了槐花香。村子后面的卡迪夫山被各种植物所覆盖,一片葱绿,那么庄重迷人,距离不远不近,真是个诱人的玩耍胜地。

汤姆提着一桶白粉浆和一柄长刷出现在人行道上。他扫视了一眼篱笆墙,兴致顿时全没了,心里泛起深深的悲哀。篱笆墙长三十英尺,高九英尺。对他来说,生活变得空洞乏味,生命变成个负担。他叹了口气,操起刷子蘸上粉浆,探到最上面的木板,刷了一道。重复一遍。再重复一遍。他比较一下,发现刷过的几个道道无足轻重,等待他刷的整个篱笆墙像大陆一样望不到尽头。他在一个树池边上坐下,感到灰心丧气。吉姆手提铁桶蹦蹦跳跳从大门跑出来,嘴里唱着歌。以前,汤姆最讨厌从镇上的水泵提水,此时反倒觉得不那么讨厌了。他记得,在水泵附近能找到小伙伴。等待接水的有白人孩子,有混血儿孩子,有黑人孩子,有男孩也有女孩,大家在那里闲散,交换玩具,吵嘴,打架,胡闹。他记起,虽然水泵就在一百五十码开外,吉姆提一桶水的时间从来不少于一个小时。就这还有许多孩子落在他后面。汤姆说:

"我说,吉姆,我替你提水,你替我刷刷墙,好吗?"

吉姆摇摇头说:

"不成,汤姆少爷。女主人告诉我说,得赶紧把水打回去,不能耽搁。她说啦,她知道汤姆少爷会要我刷墙,特别告诉我操心自己的事。她要亲自关照粉刷。"

"得了吧,别管她怎么说,吉姆。她从来就这么说的。把桶给我,我片刻就回来,她不会知道的。"

"这可不成,汤姆少爷。女主人非打得我脑袋搬家不可。真的。"

"她!她从来没打过人,谁都没打过——只用顶针敲过人的脑袋,谁会在乎呢?她骂人挺凶,可骂的人又不疼,反正只要她不哭就行。吉姆,我给你个好东西。我给你颗白弹子!"

吉姆有点踌躇。

"吉姆!白弹子哪!这可是最好的石球。"

"天哪!我跟你说,那可真是个好东西!不过,汤姆少爷,我怕女主人怕得厉害……"

"另外,我还可以让你看看我受伤的脚趾头。"

吉姆毕竟是个凡人。汤姆提出的诱惑实在太强烈了。他放下水桶,接过白石头弹子,还弯下腰全神贯注地查看汤姆解开绷带的脚趾头。突然,波利姨妈出现了,手里握着一只鞋,眼睛里闪出得意的光芒。吉姆抓起水桶,拔脚就跑,留下一串哐当哐当的声音。汤姆连忙打起精神刷墙。可是,汤姆的精力没维持多久。他想起这一天的计划,本来有那么多乐趣的,心里便感到加倍的悲哀。不久,自由自在的男孩子们就会出现在街上,去搞各种各样有趣的活动。他们看到他还得干活,准会笑死他。一想到这些,他心里就像火烧一样难受。他把自己积攒的宝贝拿出来仔细检查:小玩具、玻璃球、小破烂。这些足够跟孩子们做交换,让他们替他干干活。不过,恐怕还不够换取半个小时纯粹的自由。于是,他把那些小玩艺儿装回口袋里,放弃收买孩子们的念头。在这个毫无希望的黑暗时刻,他脑袋里突然亮起一个念头!它丝毫不亚于一个伟大而高尚的灵感。

他抓起刷子,平静地干起了活儿。不久,本·罗杰斯出现了。在所有男孩中,汤姆最怕受这个孩子的嘲笑。本走起路来蹦蹦跳跳,显然心情愉快情绪高涨。他正在吃一个苹果,嘴里发出"呜

——呜——"的悦耳叫声,接着是低沉的"叮咚咚,叮咚咚"。看来,他在模拟一艘蒸汽轮船。到了汤姆跟前,他降低速度,移到街中间,侧身向外,沉重而庄严地调头——他扮演的是大密苏里号,心里认为自己的吃水有九英尺深。他既是船,又是船长,还是机舱的钟。所以他要想像自己站在最上层甲板上发号施令,同时,又要自己去执行这些命令。

"先生,停船!叮铃铃!"轮船差不多停顿下来,开始朝路边缓缓靠过来。

"倒车!叮铃铃!"他的两条小胳膊直挺挺垂在两侧。

"右舷倒车!叮铃铃!哧!哧一哧一哧!哧!"他的右胳膊开始庄严地缓缓画着圈子倒转——那代表直径四十英尺的明轮。

"左舷倒车!叮铃铃!哧!哧一哧一哧!哧!"左胳膊开始倒着画圈子。

"右舷停车!叮铃铃!左舷停车!右舷前进!停车!外明轮缓缓转动!叮铃铃!哧一哧一哧!摘下前舷船索!已经摘下!抛出——你在那儿做什么?把绳索绕在系船桩上!绕紧——好了!发动机停车!叮铃铃!"

"嘶!嘶!嘶!"他在调整水位开关。

汤姆丝毫不去注意这艘蒸汽轮船,继续粉刷篱笆墙。本盯着他望了片刻,说道:"嘿——!你给拴住走不脱了吧?"

没有应答。汤姆用艺术家的眼光欣赏一下自己的最后几刷,然后轻轻补了一刷,再次审视其艺术效果。本走到他身旁。汤姆想吃他的苹果,口水都流出来了。不过,他继续干自己的活计。本说:

"嗨,老伙计,你不得不干活,是吧?"

汤姆猛然转过身,说:

"哎呀,是你哪,本!我刚才没注意。"

"我说,我要去游泳。你不想去吗?当然啦,你宁愿干活儿。对不对?你当然要干活儿!"

汤姆带着不屑的口吻说：

"你把这叫做干活儿？"

"难道不是？"

汤姆又开始粉刷，不经意地回答道：

"也许是，可也许又不是。我只知道，它让汤姆·索亚满意。"

"噢，得了吧，你该不是要说，你喜欢这活儿吧？"

刷子在继续移动着。

"喜欢？嗯哼，我不知道为什么我不能喜欢它。难道一个男孩每天都有机会粉刷篱笆墙？"

这活计于是有了新的意义。本停止嚼苹果。汤姆动作讲究地上下挥动着刷子，时而后退两步审视一下效果，在某些地方补上一两刷，再次用吹毛求疵的眼光瞧瞧。本的眼睛一眨不眨地望着每一步，越来越感兴趣，越来越着迷了。很快，他说：

"我说，汤姆，让我刷一点儿吧。"

汤姆考虑一下，好像打算让步。可他改变了主意：

"不行，不行。本，这可不成。波利姨妈对这堵篱笆墙特别挑剔的，它面临大街，这你明白，要是后院的篱笆墙，我不会在乎，她也不会在意。不错，她对这面篱笆墙要求十分苛刻，必须非常仔细粉刷才成。我敢打赌，就是从一千个男孩中也挑不出一个能干好这工作，说不定两千个里也挑不出一个。"

"不错……真是这样？喔，得了吧，让我试试。就刷一点儿……我要是你准会让你干的，汤姆。"

"本，说实话，我本人倒是愿意让你干干，可波利姨妈……刚才，吉姆就想干来着，可她不让他动手。锡德也想干，她也不让锡德动手。这下你知道我的地位了吧？要是你来对付这篱笆墙，万一发生了什么事……"

"啊，别废话了，我会当心的。让我试试吧。要不，我给你个苹果核。"

"嗯……不成，本，不行的。我恐怕……"

"我把苹果都给你!"

汤姆心中非常得意,可是装出满脸的不情愿,把刷子递给他。刚才扮作密苏里号汽轮的孩子,这时在阳光下干活,累得满身大汗;退居二线的艺术家坐在旁边阴凉地的一个大桶上,边晃荡双腿,边嚼苹果,心里计划着捕捉更多牺牲品。街上不时出现几个孩子,刚开始总是对他们干活表示嘲讽,最终却留下来动手粉刷篱笆墙。到了本已经累得支持不住时,汤姆就把下一个机会卖给了比利·费希尔,得到的是个修好的破风筝;等到他玩够了,约翰尼·米勒买进这个机会,他出的价钱是个吊在绳子上晃来晃去的死老鼠。就这样,一个接一个,一小时又一小时过去了。午后不久,汤姆已经从早上一文不名状态翻了身,变成个富翁。除了刚才提到的几件财宝之外,他还得到十二颗玻璃球、一支残缺不全的小口琴、一片蓝色的碎酒瓶玻璃用来隔着看奇景、一个绕线轴、一把什么锁都打不开的钥匙、一截粉笔头、一个容器的玻璃塞、一个锡制玩具兵、两只蝌蚪、六个小鞭炮、一条独眼猫、一个铜制门钮、一个狗脖套——却没有狗、一个刀柄、四片橘子皮、一片破碎的窗框。整个粉刷过程中,他在享受着闲散和舒适,周围是许多同伴,篱笆墙足足粉刷了三遍! 要不是白粉浆用光的话,他准能让全村的孩子都倾家荡产。

汤姆自忖,这世界原来并不那么坏。他不知不觉中发现了一条重要的人类行为法则——为了使一个人或者一个孩子喜欢一样东西,只要让这东西难以得到就行了。假如他像本书作者一样,是个伟大而睿智的哲学家,就能理解到,工作是身体不愿意做的事情,而娱乐是身体倾向于搞的活动。这一点能帮助他了解,为什么制作假花和推磨是工作,而打保龄球或者攀登勃朗峰仅仅是娱乐。英国那些富有的绅士们,愿意在夏日的炎热中赶着四马拉的轿车每天奔驰二三十英里,那是因为这种活动需要付出相当钱财。但是,如果有人为此支付他们工资,这种活动就变成了工作,他们自然要拒绝。

汤姆对自己财富地位发生的巨大变化得意片刻后,返回屋子,汇报工作。

# 第 三 章

汤姆走到波利姨妈面前。这时,波利姨妈正坐在房子后面一间舒适的屋子里,这屋子既是卧室,又兼做餐厅和书房。夏日温和的气息、安逸的静谧、花朵的芬芳、蜜蜂的低语——这一切都让人昏昏欲睡,她手中编织着,不由打起了盹,因为她除了一只猫没有别的伴侣,这猫儿也在她的腿上睡着了。出于安全考虑,她的眼镜架在了头发花白的脑袋上。她以为,汤姆早已逃之夭夭。见他勇敢地出现在自己的控制之下,一时惊诧不已。他说:"我可以去玩了吗,姨妈?"

"什么?已经干完了?你刷了多少?"

"全都刷完了,姨妈。"

"汤姆,别对我撒谎,我不能容忍谎话。"

"我没撒谎,姨妈。真的都刷完了。"

波利姨妈对这种话没抱多少信赖。她亲自走到街上去察看,心想,汤姆的话只要有百分之二十是真的就算不错了。她见整个篱笆墙都粉刷过,而且精心粉刷过几遍,就连地面上也溅了一道白色,她简直惊得张口结舌。她说:

"哎呀,没想到!竟然变了个人似的。汤姆,只要你专心,还是能成大器的。"接着,她连忙淡化一下刚才的恭维,补充说:"可我不能不说,你就是难得专心。好啦,去玩吧。不过,要早点回来,要不然,我非狠狠揍你不可。"

汤姆的辉煌成就太让姨妈吃惊了,她不禁拉着他的手,走进储藏室,挑了个上好的苹果递给他,然后进一步说教,说这苹果是奖品,奖励有优点的好孩子。她津津有味的说教接近尾声时,他顺手牵羊偷了只面包圈。

他蹦蹦跳跳跑到屋外，见锡德正顺着外面通往二层的后楼梯往上爬。土坷垃唾手可得，一眨眼工夫，土坷垃像一阵猛烈的冰雹一样朝锡德打过去。没等波利姨妈缓过神来营救，锡德早已吃了六七下，汤姆翻身越过篱笆墙，逃得无影无踪了。篱笆墙本来有门，可是，一般来说，走门子出入太费时间。锡德揭发他衬衣上缝的黑线，让他吃过苦头，报复锡德后，汤姆感到心顺了。

汤姆转弯抹角，穿过姨妈家牛圈后面一条泥泞的小巷，不久便逃避了捕捉与惩罚，匆匆奔向村广场。两群男孩曾约好在这里开仗。汤姆是其中一拨孩子的将军，乔伊·哈泼是另一拨孩子的头。乔伊是汤姆的好朋友，两位将领自己并不动手参战，因为那是下属的职责。两军的司令官并肩坐在高处，通过副官传达自己的命令，操纵着战场的局面。经过长时间艰苦的战斗，汤姆的部队赢得伟大胜利。然后，清点阵亡人数，交换战俘，达成了下一次战斗的协议，指定了下次战役的时间。最后，两支部队列队行军而去，汤姆独自回家。

他经过杰夫·撒切尔家时，见他家花园里有一位陌生女孩。只见她一对蓝眼睛漂亮迷人，一头金发编成两条长长的辫子，上身穿白色的衬衫，下身穿绣花灯笼裤。刚刚赢得英雄称号的勇士没挨一枪就做了俘虏。以前那位爱米·劳伦斯立即从他心中消失得无影无踪。这之前，他以为自己爱上了她，以为自己崇拜她，此时，他认为那不过是个转瞬即逝的喜爱而已。可是，他花费了好几个月才赢得她的芳心，而且从她表示认同到今天才仅仅一个星期。短短七天之前，他还是个世界上最幸福、最自豪的男孩。此刻，她一眨眼便从他心中消失了，仿佛一个敲错了门的陌生人。

他偷眼看着这个新天使，目光充满了爱慕，直到她发现了才假装根本没有注意到她。然后以男孩子特有的种种荒唐举动"卖弄"自己，为的是赢得她的芳心。他滑稽而愚蠢的表演进行了一段时间，可是，在他竭力搞危险的体操表演过程中，他朝那位小姑娘扫视了一眼,发现她已经扭身朝房子走去了。汤姆走到篱笆跟前,心中不免悲哀,真希望她能多逗留一会儿。她在台阶上停下脚步,然后朝房门走去。汤姆长叹一声,望着她迈进门槛。不过,他的脸上立刻闪烁出熠熠光彩,因为她将一朵三色紫罗兰花抛过篱笆墙,这才消失在门子里。

汤姆绕着篱笆跑过去,在距离花儿一两英尺的地方停下脚步,然后用手遮住阳光朝街上望去,那模样仿佛发现什么有趣的事情发生在远处。接着,他从地上拣了根草,扬起脑袋,把草杆支在鼻子上,脑袋来回移动,设法不让草倒下。就这样,他一点点靠近那朵花。最后,他赤裸的脚丫子踏在花茎上,用灵敏的脚趾头抓住它,然后带着这个宝贝一蹦一跳消失在街角后面。他把花别在衣服里面靠近心脏的地方——或许是靠近胃口的地方——他对解剖学可是一窍不通,而且也不吹毛求疵。

他又返回篱笆附近,在那儿一直呆到夜幕降临,像刚才那样不断地"卖弄"。那女孩再也没有露面,不过,汤姆希望她在某个窗户里面注意到他,于是心里稍感安慰。最后,他迈开步子回家,心里满是不情愿,脑袋里充满了幻想。

整个晚饭过程中,他一直精神高涨,他姨妈十分纳闷:"什么鬼魂附在这孩子身上了?"为了用土块投打锡德,他挨了顿骂,却显得丝毫也不在意。他在姨妈的鼻子底下偷糖,手背因此挨了打。他说:

"姨妈,锡德偷糖你怎么不打?"

"锡德可不像你这么动手动脚。一不盯你,手就伸进糖里。"

不久,她走进厨房。锡德一见机会来了,连忙伸手去抓糖,得意的神气让汤姆绝对无法忍受。结果,锡德的手指头一滑,把糖碗碰到地上,打碎了。汤姆顿时心花怒放。但是,他控制住自己,一声都没吭。他对自己说,就是姨妈进来,他都不说一句话,等她问是谁干的这坏事,然后,他就把事实讲出来,让这个乖小子倒霉比什么都让他开心。老女人走进来,站在打碎的破碗前面,眼镜上方喷出闪电一般的凶光,他心中的得意简直控制不住了。他自忖道:"终于发作了!"说时迟,那时快,他立刻趴到了地板上!有力的巴掌再次举起来,汤姆连忙嚷道:

"住手,干吗打我?是锡德打碎的!"

波利姨妈停顿下来,一时显得迷惑。汤姆期待她的安慰和同情。可是,她再次开口,却说道:

"哼!你一口也没少偷吃,这我敢打赌。我不在面前的时候,你还干过其他坏事。打你不亏。"

她的良心在责备她。她想说两句话表示亲热和安慰。可是,她认为,这样做会让他认为她也能犯错误,那就没了规矩。她什么话也没说,带着一颗矛盾的心走开,继续干自己的事情。他在屋子一角闷闷不乐,他的敌人却得意洋洋。他知道,他姨妈在心里已经向他下跪了,他意识到了这一点,郁闷中多了一分满足。他不想露出自己的想法,也不打算留意任何反应。他知道,慈祥的目光不时投向自己,恐怕那眼睛里还闪动着泪花。但是他不愿意表示同情。他的脑子里开始想像这样一幅景象:

他得了重病,即将死去。姨妈俯身乞求他说一点原谅她的话。可他把脸扭过去对着墙,到死也没原谅她。啊,她会怎么想呢?

他又想像自己在河里淹死了,让人捞出来送回了家,头发在滴着水,一颗受伤的心停止了跳动。她扑在他身上,眼泪像雨水一样哗啦啦淌下来,嘴里嚷着,乞求上帝把孩子还给她。她再也不会责骂他了!但是,他就会一动不动躺在那里,脸色惨白,什么表情也没有——成了个可怜的受难者,得到个悲哀的结局。

他被自己的想像折磨得悲哀不已,不得不一连吞咽唾沫,这才避免了呜咽。他的眼睛被涌出的泪水模糊了,一眨眼就涌出眼眶顺着鼻子淌下来。他体会到的悲伤如此甜美,对他来说简直是一种奢侈的感情,他不能允许任何世俗的东西破坏这份神圣。这时,他的表妹玛丽蹦蹦跳跳跑进来。自从很久以前在家里住过一个星期后,她已经多时没回家了,走进家门乐不可支,给家里带来了欢乐、歌声和阳光。汤姆站起身,从另一扇门走出去,带走了阴云和晦暗。

他远离男孩子们常去的地方,徘徊到适合自己心境的荒凉野地。一个木排吸引了他,他爬上去,坐在离河岸最远的那一端,冥想着大河的单调和广袤,一时希望给淹死才好,只是最好不要忍受大自然规定的不快。这时,他想起了那朵花儿。他掏出花。花儿不但已经凋零,而且揉得不成样子了。凄凉的幸福感更加强烈了。他真想知道,要是她得知他的死讯,会不会表示怜悯?她会痛哭吗?他希望,她能搂住他的脖子安慰他。可是,她会不会像虚伪的世人一样,冷漠地转身而去?这幅景象带给他痛苦的喜悦实在太强烈了,他一再从头到尾想像着同一幕,直到觉得索然无味为止。最后,他站起身,叹了口气,摸黑上了岸。

时间大约是九点半到十点钟。他顺着空无一人的街道走去。到了一所房子前,他停下脚步。这里住着那个受他崇拜的女孩。他仔细倾听,可是,什么声音都没有。二层楼的一扇窗户上,烛光在窗帘上投下一片模糊的影子。那个不知姓名的神圣人儿在那儿吗?他翻越篱笆墙,鬼鬼祟祟从花草树木间穿过,站在那扇窗户下仰望,怀着柔情。后来,他仰面躺在地上,双手握着那朵凄惨的朽花。他要这样死去——在冰凉的世界上,头上没有屋顶遮盖,没有慈善的手抹去眉毛上的露水,在巨大的痛苦来临时,没有慈爱的面孔望着他表示怜悯。欢乐的早晨到来时,她会透过窗户看到他。啊!她会将一丁点泪水洒在他没有生命的可怜身体上吗?她会为一个聪明年轻的生命过早地枯萎而叹息吗?

窗户打开了。一个女用人尖刻的声音撕破了神圣的静谧,就像一个无情的浪头吞没了一个受难者的遗体!

垂死的英雄呻吟一声跳起身。箭一般的嗖嗖风声夹杂着低声咒骂,继之而来的是青草的飒飒声。一个矮小朦胧的身影冲上篱笆墙,射了出去,消失在黑暗中。

没过多久,汤姆便脱光了衣服,准备上床睡觉。他借着油灯昏暗的灯光查看自己湿漉漉的衣裳。锡德醒了，他有过一丝朦胧的想法，打算提示汤姆作晚祷告，可他认为最好保持平静，因为汤姆的眼睛里闪烁出凶光。

汤姆上床睡觉时没有找麻烦做什么晚祷，锡德心里暗暗记下了这笔账。

# 第 四 章

太阳在平静的世界上升起，照耀在这个宁静的村庄上，像是在祝福它。早饭过后，波利姨妈召集全家来做祈祷。她以几段经文开始，中间以别出心裁的解释做过渡，到了祈祷的高潮，她宣读了西奈的摩西法中一段可怕的篇章。

然后，汤姆打起精神来，背诵他的诗歌。锡德早在几天前就记住了自己该背诵的诗。汤姆集中全部精力，背诵五首诗。他从布道辞中选了五段，因为他实在找不着更短的诗文了。半小时后，汤姆对自己读的东西有了个朦胧的了解，他的脑子与人类思想格格不入，他的双手忙着搞小动作取乐。玛丽把他读的书拿过去，听他背诵。他跌跌撞撞在迷雾中摸索：

"该祝福的是……嗯……嗯……"

"穷人……"

"对……穷人。该祝福的是穷人……嗯……嗯……"

"的精神……"

"的精神。该祝福的是穷人的精神，因为他们……他们……"

"他们的精神……"

"因为他们的精神。该祝福的是穷人的精神，因为他们的精神就是天国。该祝福的是那些忧伤的人们，因为他们……他们……"

"要……"

"因为他们咬……"

"要……"

"因为他们摇……噢,我不知道是什么了!"

"要!"

"噢,要! 因为他们要……因为他们要……嗯……嗯……要悲伤……嗯……嗯……该祝福的是那些人,因为他们……他们……嗯……要他们悲伤,因为他们要……嗯……要干吗? 你干吗不告诉我,玛丽? 你这么小气要干吗?"

"唉,汤姆,你这个木头脑瓜,我不是逗你。我不愿这么做。你必须从头背诵。别灰心,汤姆,你能背会。等你背会了,我就给你个最好的东西。去吧,乖孩子。"

"好吧! 是什么呀,玛丽? 告诉我是什么东西。"

"汤姆,现在别问。你自己清楚,我说是好东西,就准是好东西。"

"是这么回事。好吧,玛丽。我从头背起。"

在好奇心和即将获得某种东西的双重刺激下,汤姆集中精力背诵,最后获得了十分精彩的成功。玛丽送给他一把崭新的单刃武士刀,要说它的价值,足足有一毛二分五呢。汤姆大喜过望,乐得喜不自禁。不错,这刀什么都割不动,不过,它的的确确是一柄武士刀。挎上它,有说不出的神气。西部的孩子们总是认为,这种刀经过一再仿冒,其形象已经不再高贵。大家怎么会有这样的念头,真是个不解之谜。汤姆打算挥刀砍橱柜,正待动手,突然听到叫他去换衣裳,该去主日学校了。

玛丽给他端了一盆水,递给他一块肥皂。他把盆子端到门外,放在一个小凳上,然后把肥皂放在水里,任凭它沉入水中,撸起袖子,把水轻轻泼到地上,然后走进厨房,躲在门后使劲用毛巾擦脸。玛丽夺下毛巾,说:

"汤姆,你不觉得丢人吗? 怎么这么捣蛋。水又伤不着你。"

汤姆有点慌张。盆子里又装上水,这一次,他在盆子前面站了一会儿,打定了主意,深吸一口气,毅然开始。转眼回到厨房时,只见他双眼紧闭,双手摸索着找毛巾,脸上淌下丰富的肥皂沫和水当然是洗过脸的证据。但是,他的脸从毛巾后面露出来,却并不令人满意。干净的区域只达到下巴和两腮,活像一张面具,这条边界以外并未经过灌溉,黝黑而辽阔的区域从脖子周围向下扩展开来。玛丽抓住他的手,动手给他洗。洗完后,他才重新属于人类,身上脸上不再有明显的颜色界线,污秽纷乱的头发整整齐齐梳好,短短的卷发很讲究地梳分开来。他费过许多力气,要把卷发捋平,把卷曲的头发沾平在头皮上,因为他认为女人才留卷发。卷曲的头发给他的生活增添了痛苦。接着,玛丽从他的服装中取出一套星期日才穿的衣服。这套衣服有个名称,叫做"另一身衣裳"。听了这名称,我们对他的衣橱规模应该有个了解了。他穿好衣服后,玛丽给他整理好。替他把所有扣子都系上,一直扣到下巴底下;把他的衬衫领子翻下来,领子很大,盖在了肩膀上;把他的衣服刷了一遍;最后给他戴了顶有斑点的草帽。此时,他看上去好看得很,却难受得要命。他感到浑身的不舒服,干净完整的衣服对他简直是一种折磨。他希望玛丽不要想起他的鞋,可是这一希望破灭了。她把他的鞋整个上了鞋油,拿了出来。他再也忍不住了,抱怨说,总是有人逼他干他不情愿的事情。玛丽劝道:

"求求你,汤姆,你是个好孩子。"

他嚷叫着穿上鞋。玛丽很快便准备好了,三个孩子一道出发,去主日学校——那是个汤姆深恶痛绝的地方,可是锡德和玛丽却喜欢那里。

安息日学校从九点开到十点半,然后是教堂礼拜。两个孩子总是自愿留下来听布道,另一个孩子也总是留下来——可他是为了更加强烈的原因。教堂的座位是一排排高靠背无坐垫长椅,能容纳大约三百人就坐。教堂建筑的风格平淡,规模不大,屋顶上墩着个松木箱,充当教堂尖顶。到了教堂门口,汤姆停下脚步,招呼一个身穿星期日服装的伙伴。

"嗨,比利,有黄票吗?"

“有。”

“你愿意怎么交换?”

“你想给什么?”

“一截钓鱼线和两个钓钩。”

“咱瞧瞧。”

汤姆掏出来给他看。货物满意,财产易手。接着,汤姆用两只白色石球换得三张红奖票,又用几件零碎东西换到两张蓝奖票。接下来的十几分钟里,他截住新来的其他男孩,继续买进各种颜色的票子。

汤姆随着一群男女孩子们走进教堂,大家全都身穿干净衣服,吵吵闹闹地走向自己的座位。汤姆开始跟身旁一个男孩争吵。教师是一位神情庄重的长者,走过来制止骚乱。教师刚刚转身,汤姆就撕扯旁边一个男孩的头发,那孩子扭回头时,汤姆装作聚精会神在看书。汤姆又用针刺另一个男孩,为的是听他叫出“哎哟!”老师责备那孩子。这个班的孩子全都是一个类型——坐不稳,不安静,爱闹事。大家背诵时,没有一个能完整地背出诗文,都需要老师一再提示。不过,煎熬终于结束了。每个孩子都得到自己的奖赏——一张蓝色小奖票,上面写着一段经文。每张小蓝票都是背诵两段经文的报酬。十张蓝奖票的价值等于一张红奖票,十张红奖票等于一张黄奖票。拿十张黄色奖票可以从校监那里换取一本平装《圣经》。在当时,这本《圣经》要卖四毛钱呢。我的读者中,谁愿意付出艰辛背诵两千首诗文,去获得一本《圣经》? 即使报酬是一本烫金的《圣经》,又有谁愿意这么做呢? 然而,玛丽却以这样的方式,在两年内得到两本《圣经》。一个德国后裔甚至赢得四五本。曾经有一次,他一口气背诵出三千首诗文,中间竟然未作停顿。但是,这事对他的脑筋造成的压力太大了,那天之后,他简直变成个白痴。这对学校无疑是个巨大的打击,因为校长总是在重大场合让这男孩“亮相”——这是汤姆的说法。只有年龄比较大的学生才下苦功背诵,并且为了得到《圣经》仔细保留奖票,所以,颁发奖品

《圣经》就成了难得一见的盛典。成功者的显赫非常引人瞩目，颁奖后的两个星期中，每一位学生心中的欲望之火都重新燃起，一连两个星期都不会熄灭。汤姆心中很可能从来不欣赏这种奖品，不过，毫无疑问，他对那种奖赏带来的荣耀却渴望已久。

校监走进了讲道台。他手持一本赞美诗集，食指插在某一页的位置，请大家安静下来。主日学校的校监作例行演讲时，手里总是拿着一本赞美诗集，就像个走上音乐厅舞台准备独唱的歌唱家手里拿着乐谱，奇怪的是，不论是赞美诗集，还是乐谱，其实都是虚设，这两种倒霉的角色并不真正拿起来看。这位校监是个三十五岁的人，高挑个头，蓄着沙黄色的山羊胡子，留着同样沙黄色的短发。他僵硬的衣领相当高，上缘几乎挨住了耳朵，耳朵边缘往外翻，超过了嘴角的位置，也迫使他只能看见正面的景象，要想看到侧面的东西，就不得不扭动整个身子。一条长宽如钞票一样的领结架住他的下巴，领结上还带有流苏。按照当时的时尚，他的靴尖陡然翘起，活像个雪橇，这是年轻人们用脚尖抵着墙，耐心而辛劳地长时间努力的结果。沃尔特先生外表非常真挚，内心非常真诚，他对神圣的东西和地方无比虔诚，对待它们与对待世俗事务截然两样，在主日学校讲道时，声调不由自主变得怪异，与日常声音完全不同。他以这样一段话开始：

"听着，孩子们，我要你们全都尽量坐直身子，摆正姿势，聚精会神听我讲一两分钟。很好……这才是好孩子。我看到一位小女孩在朝窗户外面张望，恐怕她以为我在窗户外面的什么地方……也许认为我在树上对小鸟儿们发表演讲。"大家一齐嗤笑。"我要对大家说，看到这么多漂亮、干净的小脸蛋，看到大家聚集在一起，我感到非常高兴。"他就这么说啊说。他说的其余内容没有必要完全记载下来。反正都是这种一成不变的东西，所以我们大家都很熟悉。

演讲的后三分之一被某些坏孩子们搅了。打斗再起，其他娱乐活动死灰复燃。不安和悄声议论如浪潮般扩展开来，甚至波及到锡德和玛丽这样傲然孤立的岩石脚下。但是,各种声音戛然而止,因为沃尔特先生停下了讲话。大家报以默默的感激。

悄声议论的原因,主要是因为来了几位稀客:撒切尔律师以及陪同他的人们。一个上了年纪的男人身体非常虚弱;一个头发铁灰,身体肥胖健康的中年男子;一个相貌威严的女士,显然是后者的妻子。这位女士带着个孩子。在这之前,汤姆一直处于不安和躁动中,而且一直感到良心的折磨——他不敢看埃米·劳伦斯的眼睛,因为他受不了她爱慕的凝视。但是,一见到这位新来的小人儿,他的灵魂立刻燃起了熊熊火焰。他马上开始竭力"卖弄自己",伸手打身旁的男孩,撕扯他们的头发,扮鬼脸。总而言之,他使出浑身解数,想迷住一个姑娘,赢得她的喝彩。他的得意中只有一丝阴影——在这位天使花园前蒙受的羞辱。不过,那番回忆就像写在沙滩上的印记,很快便被此时幸福的浪头席卷而去了。

客人们被邀请到最显赫的座位上就坐。沃尔特先生的讲演一结束,就把他们介绍给大家。那位中年男子竟然是位了不起的人物——一位乡村法官。孩子们产生了敬畏之心,不知道这人是用什么材料制造的,以为他说起话来应该像吼叫,又害怕他真的吼起来。他来自十二英里外的镇子君士但丁堡,所以他当然见过世面。那双眼睛曾经看见过乡村法院,据说,法院屋顶的瓦是铁的。大家的沉默和凝视证明了心中的敬畏。这便是撒切尔法官,撒切尔律师的兄弟。杰夫·撒切尔立刻走上前来,与那位了不起的人认识,学生们全都嫉妒不已。假如他听见大家的窃窃私语,心里准会无比得意:

"吉姆,瞧哇!他走过去了。快看!他要跟他握手,他握住他的手了!天哪,你是不是希望自己就是杰夫?"

沃尔特先生走下来"卖弄",做出各种各样正式的忙乱举动,发命令,下评语,做指示。图书管理人在"卖弄",怀里抱着一摞摞书籍,忙乱着跑来跑去,想让这位权威感兴趣。年轻的女教师们在"卖弄",她们弯下腰,跟刚刚吃过耳光的孩子们甜蜜地交谈,伸出漂亮的手指,向坏孩子们发出警告,亲热地拍拍好孩子们以示鼓励。年轻的男教师们在"卖弄",不是轻微地责备,就是做出各种其他保持自己尊严或者维护纪律的举动。大多数男女教师们都在讲道坛前或者图书馆里忙碌,他们表面上显出着急神色,一再重复忙碌着。小姑娘们以各种方式"卖弄"。小男孩们更是勤奋地"卖弄"着,空中于是充满了投来扔去的纸球,洋溢着厮打的吵闹声。那位伟大的人物坐在那里,脸上挂着堂皇的笑容,法官的庄严如阳光一般照耀着整个大厅,也使他自己沐浴其中,其实,他自己也是在"卖弄"。

沃尔特先生的狂喜只差一件事,那就是没有机会颁发一本《圣经》,并炫耀一位神童。有几个学生已经得到了几张黄票,但是谁的也不够多。他在几个优等生中间询问。要是那个德国后裔能出现,并且脑子能恢复正常,他什么代价都肯付出。

就在这个希望已经破灭的时刻,汤姆·索亚走上前去,手持九张黄票,九张红票和十张蓝票,要求得到一本《圣经》。这不啻一记晴天霹雳。沃尔特以为,汤姆十年内休想提出这种要求。然而,面前是铁的事实——奖票要兑现,票面无误。汤姆的地位顿时升到与法官和其他显赫人物相当的高度。这一重要新闻正式宣布出来。这简直是十年来最令人惊愕的消息,引起的轰动之强烈,使新英雄的光环与在座的法律人士一样明亮,学校里此刻便有了两个重要的注意中心。男孩子们全都嫉妒得刻骨铭心,最惨的要数那些付给汤姆奖票,交换粉刷特权的孩子们,他们此刻才意识到,他们为这一嫉恨的荣耀付出了代价。他们鄙视自己,因为他们成了狡猾欺骗的受害者,那个狡猾的家伙就像躲藏在草丛中的蛇。

校监颁发奖品时,照例讲了些溢美之辞。但是,其中缺少真正的热情,因为这个可怜的家伙本能地意识到,事情的背后也许有见不得阳光的隐秘。这显然不合情理,这个孩子表面的愚鲁下,居然深藏着背诵两千首诗文的智慧。毫无疑问,就是让他背诵十二首,也让他挠头。

埃米·劳伦斯感到自豪,感到高兴,她想让汤姆看到自己喜形于色,可他就是不看。她感到奇怪;然后感到有点不安;心里的一丝疑惑产生了又消失掉,最后又产生了;她注视着;他鬼鬼祟祟的目光让她明白了一切。她的心碎了。她嫉妒,她愤怒。眼泪滚出她的眼眶。她恨所有的人,最恨的就是汤姆。

汤姆被介绍给法官,可他的舌头不听使唤,他的呼吸几乎停滞,他的心在颤抖。这部分是因为这个男人令人敬畏的光彩,但主要由于他是她的父亲。假如是在黑暗中,他会俯伏在地上膜拜他。法官的手搭在汤姆的头上,称他作好小伙子,问他叫什么名字。汤姆喘着粗气,结结巴巴,最后脱口说:

"汤姆。"

"噢,不,不是汤姆。是……"

"托马斯①。"

"啊,对了。我想也许应该是全称。这很好。不过,我敢说,你有姓氏的,对吧?"

"托马斯,把你的姓氏告诉这位先生,"沃尔特说,"要称呼先生。别忘了礼貌。"

"托马斯·索亚。先生。"

"好!这才是好孩子。好孩子。好小伙子。两千首诗文是个很大的数目——的确是个很大的数目。你永远不会为背诵而后悔,因为知识比世界上任何东西都更有价值,它能造就伟大的人,善良的人。托马斯,你将来会成为一个伟大的好人,到那时,你回首往事,会说:'这都归功于珍贵的主日学校,那是我童年的机会;这归功于我亲爱的老师们,是他们教会我学习;归功于我的校监,是他督促我,监督我,奖给我一本漂亮的《圣经》,这是一本精美绝伦的《圣经》,我从来把这本书带在身边;这归功于正确的教养。你将来会这样说的,托马斯。那两千首诗文,就是有人拿钱,你也不

---

① 托马斯:汤姆是托马斯的昵称。——译注

会跟他们交换,当然你不会跟他们交换。现在,请你把你学会的东西告诉我和这位夫人,我想你不会有意见的。我们对有学识的男孩子感到自豪。你当然知道十二位门徒的名字。请你告诉我们前两位的名字吧。"

汤姆的手指头抠着扣眼,露出羞怯神色。他羞红了脸,眼睛望着地面。沃尔特的心也随着沉了下去,自忖道:这孩子根本不可能回答这么简单的问题,法官干吗要问呢? 不过,他觉得有义务说点什么,就开口道:

"回答这位先生,托马斯。别害怕。"

汤姆还在犹豫。

"我知道你会告诉我们的,"那位夫人说,"前两位门徒的名字是……"

"大卫和歌利亚①!"

我们还是掩上慈悲的幕布,不再往下看的好。

# 第 五 章

十点半左右,小教堂的破钟敲响了。不久,人们开始聚集在一起听上午的布道。上主日学校的孩子们散开来,跟家长们坐在一起,开始受家人的监督。波利姨妈来了,汤姆、锡德和玛丽跟她坐在一起。汤姆被安置在靠近走廊的位置,尽量远离敞开的窗户,免得受到夏日景色的诱惑。人群挤满了走廊,上了年纪的邮局局长挤在那里,他有过好日子,现在却很贫穷;镇长和夫人在那里,这地方不但有各种虚设的官职,还有个镇长;治安官在那里;寡妇道格拉斯在那里,她皮肤白皙,一头金发,衣着整洁,年纪四十岁,为人

---

① 大卫和歌利亚:大卫是《圣经》中记载的以色列国王;歌利亚是《圣经》中记载的非利士勇士。汤姆显然崇拜这两个角色,却并不知道门徒们的名字。——译注

慷慨,心地善良,生活优裕,她家在山坡上的公馆是镇子上惟一的豪华屋宇,由于她极为好客,也乐于在喜庆节日时破费,这华宅便成了圣彼得斯堡引为自豪的聚会场所;可敬的沃德少校佝偻着身子,身旁是沃德太太;远一点是崭露头角的里弗森律师;旁边是镇子上的美女和一群身穿条纹麻布衣服的年轻人,一个个如痴如狂;后面是镇子上所有年轻的职员们的队伍,他们站在门廊中,把手杖柄含在嘴里,围成一圈,涎皮赖脸缠着每一位姑娘;最后到来的是模范少年威利·穆夫尔森,他小心翼翼地照顾着母亲,仿佛他妈是只雕花玻璃瓶。他总是带着母亲上教堂,在所有家庭主妇眼里,他是大家的骄傲。男孩们全都恨他,因为他太乖了。最严重的是,人们总是拿他做榜样教训他们。照例,他星期日要将一张白色手帕露出在裤子后兜外面,显得很随意。汤姆没有手帕,认为有手帕的孩子都是假装斯文。

此时,大家都已集合在一起,钟声再次响起,提醒那些迟到者和迷途者。教堂里一片肃穆,只有唱诗班的席位里发出片片嗤笑和低语声。在整个礼拜过程中,唱诗班总是发出嗤笑和低语。以前曾经有个比较有教养的唱诗班,可我记不得是在哪儿。那是很多年以前的事情,我几乎记不起当时的事情,也许那是在其他国家。

斯普拉格牧师朗读赞美诗,声调抑扬顿挫,风格奇特,当时本地很欣赏那种风格。他以中音开始,然后不断提高音调,直到抵达高峰,强调出某一个字眼,接着音调猛然降低,仿佛从跳板上一头栽了下来:

我能否乘坐舒适的花床升入天堂?
看他人为名利在血海中搏斗死伤。

大家都把他看作朗诵大师。在教堂"交际"活动中,总是召他来朗诵诗歌。朗诵结束时,妇女们就举起双手,然后任凭双手落在腿上,做出无可奈何的样子,闭上眼睛,摇摇脑袋,仿佛在说:"实在太美了,世界上没有比这更美的东西了,简直无法用语言表达。"

斯普拉格牧师朗诵完赞美诗,就转身面向一块公告牌,大声宣读聚会和交际活动之类的通知,听上去仿佛世界末日的通告。这种奇怪的习惯现在仍然在美国各地沿袭,甚至在城市中也不例外,当时在报纸上有大量这种海报。通常,一种风俗越是不合理,就越是难以革除。

牧师在祈祷,祈祷辞华丽而冗长,内容涉及到细微的东西:为教堂祈祷,为教会的小孩子们祈祷,为镇子上的其他教堂祈祷,为镇子本身祈祷,为本县祈祷,为本州祈祷,为州政府官员祈祷,为美利坚合众国祈祷,为总统祈祷,为政府官员祈祷,为风暴中忍受颠簸的可怜海员们祈祷,为欧洲君主和东方专制的铁蹄下呻吟的千百万受压迫者祈祷,为看不到光明听不到声音的人们祈祷,为远离文明的岛屿居民们祈祷。结束的时候,他还要恳请说,愿他的话语得到人们的赞许,像种子撒在肥沃的土壤中,结出善良的硕果。阿门。

一阵衣裙瑟瑟声之后,站着的人群就坐。本书讲述的孩子才不喜欢这种祷告呢,他硬着头皮尽量忍受,心里在跟所有这一切作对。他不由自主地给祷告的所有细节打着拍子,虽然他并不听它的内容,但是他记得牧师的老调子,假如新搀杂进一点琐细的东西,他的耳朵就能分辨出来,立刻产生强烈的反感。他认为增加东西是不公平的,简直是一种卑鄙行径。祷告过程中,一只苍蝇落在他面前的椅背上,平静地磨磨两条前腿,抱住脑袋使劲擦,仿佛要把脑袋整个扭下来,纤细的脖子暴露了出来;然后又用两条后腿刷翅膀,把翅膀抹在身体上,好像翅膀就是衣服下摆;它平静地完成整个化妆过程,似乎它明白,此时自己绝对安全。汤姆觉得整个灵魂都在忍受煎熬,他的手指想伸出去捉它,可是并不敢造次。他相信,要是此刻动手捉,立刻就能要了自己的命。祷告辞到了最后一句,他勾着手掌悄悄摸过去。"阿门"一念完,苍蝇马上成了俘虏。

他姨妈发现了他的行动，逼他放生。

牧师念完祷文，接着用低沉的嗡嗡声念一篇纲要。他的声音太乏味，许多人开始打盹，尽管内容涉及地狱之火、硫磺和不可挽救的毁灭者。汤姆数着布道书的页数，从教堂出来后，他总能说出讲了多少页，对演说内容却一无所知。不过，这次他稍稍发生了一点兴趣。牧师描绘了一幅太平盛世的图画，说是到那时，狮子和羔羊会和平相处，一个小孩子会带领它们。他体会不到其中的悲哀、教训和这幅美妙图画的寓意，一心考虑着那个众目所瞩的孩子。他现出若有所思的神色，自忖道，他希望自己就是那个孩子，只希望那是头驯服的狮子。

干巴巴的纲要接着进行，汤姆不得不硬着头皮忍受。不久，他想到了自己带在身边的一件宝贝。那是个黑色的大甲虫，长着一对巨大的口器。他把它叫做钳嘴虫。虫子在一只爆竹筒里。他的手一伸进口袋，手指立刻被咬住，他猛地缩手，甲虫给甩了出去，背朝下落在走廊上，手指头自然伸进孩子嘴巴里。甲虫舞弄着几条腿，没法转过身来。汤姆望着它，想捉却够不着。对说教不感兴趣的其他人也以这只甲虫调剂情绪，盯着看它。不久，一条狮子狗懒洋洋地溜达过来，显然夏日的温和平静让它感到乏味，囚禁生活使它萎靡厌倦，它渴望寻求某种刺激。它看到了甲虫，耷拉的尾巴举起来左右摇动。它审视着这一战利品，绕着它转了一圈，从安全的距离外嗅了嗅，再次绕着它兜圈子，壮着胆子凑近嗅了嗅，然后伸出舌头小心翼翼地舔了它一下，没有接触到，然后再舔一下，又舔了一下，开始感兴趣，趴在地上把甲虫拨到两只前爪中间，继续搞自己的试验，最后觉得厌倦了，变得漠然，开始打盹，脑袋渐渐垂下去，下巴接触到了敌人。甲虫夹住它的下巴。随着一声狂吠，狮子狗猛烈晃动脑袋，甲虫甩到两码远的地方，再次背朝地面。旁观的人们乐得晃动起来，纷纷用扇子和手帕捂住脸。汤姆大悦。狗儿不知所措，心里怀着怨恨，渴望复仇。于是它走近甲虫，动作谨慎地再次向它发起进攻，绕着圈子从每一个角度向它扑过去，前爪落在离它一英寸远的地方又退回来,甚至牙齿靠近它作咬啮状,使劲晃动脑袋,耳朵甩得啪啦啦直响。不久,它再次感到厌倦,设法追一只苍蝇,得不到乐趣,就把鼻子贴在地面上追寻一只蚂蚁,很快便感到没趣了,打个哈欠,叹息一声,完全忘记了那只甲虫,一屁股坐在甲虫身上。紧接着,狮子狗发出一声疯狂的哀嚎,顺着过道狂奔,一时间,狗吠人喊闹成一片。狗从祭坛前穿过,冲向另一条过道,从门前横过,绕回原路,痛苦随着奔跑越来越加深,最后就像个毛茸茸的流星,顺着自己的轨道以光一般的速度滑过人们的视野。狂乱的受难者终于偏离了轨道,跳上主人的膝盖。主人一把将它抛出窗外。痛苦的嚎叫声迅速变弱,最后消失在远方。

整个教堂里,人们尽力忍住笑,人人憋得满脸通红。说教停顿下来。虽然不久又恢复了,却变得残缺不全,结结巴巴,本来可能给人们留下的印象无可挽回地消失了。即使最庄严的感情,也总是在后排人们压抑住不敬的说笑后接受的,仿佛牧师讲了个罕有的笑话。严酷的折磨结束了,牧师说了祝福辞,整个教堂里的人都感到真正的宽慰。

汤姆·索亚回家的时候兴致勃勃,心想,给礼拜中增添点花样,还是不无乐趣的。他认为那条狗本来应该跟他的钳嘴虫玩个够,可是,它没有权利把他的虫子带走。

# 第 六 章

星期一早上,汤姆感到不幸。每到星期一早上,他都有这种感觉,因为一个星期漫长的苦难开始了。通常,这天一开始,他就希望根本没有过假日,因为休假后重新受囚禁束缚,更感到痛苦。

汤姆躺在床上思索。不久,他产生一个念头,希望自己生了病,这就可以赖在家里,用不着上学了。这只是个不成形的念头。他全身感觉了一番,哪儿都没病。他再次检查自己。这次,他认为发现了自己有疝气症状,就怀着希望找毛病。可是症状很快便消失得无影无踪。他进一步思索,突然发现了某种东西。他的一颗上牙有点松动。这可太幸运了。他正打算开始呻吟,照他的话,这叫"启动",可他一想,要是到院子里跟姨妈说,她准会动手拔掉这颗牙,那可就真疼了。于是,他决定先不说牙齿的事情,继续考虑其他方面。一时间想不出什么病来。后来,他记起大夫说过,有个病人曾经得过一种病,在床上躺了两三个星期,几乎失去一根小指头。他的一个脚趾有点疼,连忙举起脚来检查。问题是,他不知道应该有什么症状才对。不过,看来值得一试,就精神勃勃地呻吟起来。

锡德睡得不省人事。

汤姆提高声音,想像自己的脚趾头真的在疼。

锡德没有反应。

汤姆叫得气喘吁吁。他休息一下,憋足劲,发出一连串令人钦佩的呻吟。

锡德继续打着呼噜。

汤姆的呻吟愈发强烈。他嚷道:"锡德,锡德!"还动手摇晃他。这下有了效果,汤姆继续呻吟。锡德打个哈欠,伸个懒腰,胳膊肘支住身子,喷了下鼻子,开始盯住汤姆看。汤姆继续呻吟。锡德说:

"汤姆!嗨,汤姆!"没有回答。"嗨,汤姆!汤姆!怎么啦,汤姆?"他摇晃汤姆,不安地望着他的脸。

汤姆大声呻吟着说:

"别,锡德,别,别碰我。"

"怎么啦?怎么回事,汤姆?我得叫姨妈来。"

"别……没关系。大概一会儿就好了。谁都别叫。"

"我得叫人!别这么嚷嚷,汤姆,太吓人了。你这样子有多长时间了?"

"好几个钟头了。哎哟!别动我,锡德,你这是要我的命啦。"

"汤姆,干吗不早点叫醒我? 啊,汤姆,别叫! 我听了浑身肌肉都难受。汤姆,到底怎么啦?"

"锡德,我什么都原谅你,"他继续呻吟,"你对我干的一切我都原谅。等我死了……"

"汤姆,你不会死的,对吧? 别,汤姆……噢,别,也许……"

"我谁都原谅,锡德,"他继续呻吟着,"你把这话告诉大家,锡德。你把我的窗户框和我那只独眼猫给新来到镇子上的那个姑娘,告诉她……"

锡德没听这话,已经抓了件衣裳跑出门外。汤姆这时真的难受了,他的想像成真,呻吟也不是做作了。

锡德飞奔下楼,嚷道:

"波利姨妈,快来呀! 汤姆要死了!"

"要死了?"

"对。别耽搁,快!"

"胡扯! 我不信!"

可她还是飞快地紧跟着锡德上了楼。一见这情景,她的脸变白了,嘴唇在颤抖。走到床旁边,她上气不接下气地问:

"你,汤姆! 汤姆,你怎么啦?"

"噢,姨妈,我要……"

"你怎么回事……怎么啦,我的孩子?"

"噢,姨妈,我的脚趾头疼得要死!"

老女人跌坐在椅子上先是笑,又是哭,后来又哭又笑。恢复正常后,她说:

"汤姆,你把我吓坏了。现在,闭上嘴别胡说,快起床。"

呻吟停止,疼痛消失。孩子感到茫然不知所措,说:

"波利姨妈,真是疼得要命,结果我连牙疼都忘了。"

"你的牙疼! 你的牙怎么了?"

"一颗牙松动了,疼得真要命呀。"

"行了,行了,别再嚷嚷。张开嘴巴。不错,你这颗牙是松了,不过它不会要你的命。玛丽,给我递一根丝线来,再从厨房取块火炭。"

汤姆说:

"啊,姨妈,别拔我的牙。现在它不疼了。就是疼我也不动它。求求你,姨妈。我不是想赖在家里不上学。"

"你不想赖在家里,是吗? 这么说,你吵闹了半天,就为了不上学去钓鱼? 汤姆呀汤姆,我这么疼你,可你总是想方设法耍花招,伤我的心。"这时候,牙科设备已经准备好了,老女人将丝线一头结了个环,套在汤姆那颗松动的牙齿上,另一头拴在床架上。然后,她夹起那块火炭,突然扬过来,几乎烫到汤姆的脸。说时迟,那时快,牙齿已经吊在床架子上来回晃荡了。

有失就有得。汤姆早饭后去上学,成了大家羡慕的中心,因为他可以从缺了牙的豁口吐唾沫,样子让所有同学羡慕不已。他一再表演,身后跟了一群崇拜者。一个割破了手指的孩子,曾经是大家惊奇和羡慕的中心,此时突然连一个党徒都不见了,荣耀便黯然失色。他露出轻蔑神色说,像汤姆·索亚那样吐唾沫有什么了不起。可另一个孩子挖苦道:"酸葡萄!"昔日英雄悻悻然走开了。

转眼间,汤姆遇到了镇子上的下流孩子哈克贝利·费恩。他爸爸是个酒鬼。镇子上所有母亲都实实在在地讨厌哈克贝利,也害怕他,因为他不务正业,不守规矩,举止粗俗,行为恶劣,还因为所有孩子都羡慕他,喜爱私下跟他交往,希望自己敢于像他那样放任。汤姆也像所有生活体面的孩子一样,羡慕哈克贝利奢侈的自由状态。汤姆受到严格命令,不得与他玩耍。所以,一有机会,他就跟他玩。哈克贝利总是身穿成人抛弃的衣裳,上面满是岁月的痕迹和飘动的破布片。他的帽子破旧得不成形状,帽壳跟帽檐之间撕了个月亮形的大口子。他穿的成人衣裳几乎拖到他脚面上,还总是把扣子弄在身后。他穿的裤子只用一条吊带挂在肩膀上,裤裆像个袋子松松垮垮耷拉在身后,长长的裤腿不卷起来就得拖在肮脏的地面上。

哈克贝利想上哪儿就上哪儿。天气好的时候,他就在门前台阶上睡觉,赶上下雨天,他就找个空猪圈藏身。他不上学,也不去教堂,用不着管什么人叫主人,也不必服从任何人。他愿意什么时候去钓鱼,喜欢上哪儿钓,全随自己的便,高兴钓多久就钓多久。谁也不禁止他打架。到了晚上,他想多晚不睡觉都没人管。春天,他第一个开始赤裸双脚,秋天,他最后一个开始穿鞋。他绝对用不着洗脸,也用不着穿干净衣裳。他咒骂起来令人叫绝。总而言之,使生活成为享受的一切,这孩子全都有。圣彼得斯堡每一个受折磨受困扰的体面孩子都这么认为。

汤姆跟这位浪漫的流浪汉热情地打招呼:

"你好,哈克贝利·费恩!"

"跟你自家说'你好'吧,看你喜欢不喜欢。"

"你得了个什么?"

"死猫。"

"哈克①,让我瞧瞧。天哪,它硬僵僵的。哪儿弄的?"

"跟个孩子换的。"

"你拿什么换的?"

"一张蓝票和一个尿脬,是我在杀猪的那儿弄来的。"

"你打哪儿弄的蓝票?"

"两礼拜前,用铁环钩子跟本·罗杰换的。"

"跟我说说,哈克,死猫有什么用?"

"有什么用?用来治瘊子呀。"

"不行吧!是真的?我知道其他东西治瘊子更好。"

"我打赌你不知道。那你说是什么?"

"这还用说吗?当然是用死水。"

"烟灰水!鬼才用死水呢。"

"你不用?你试过没有?"

---

① 哈克:哈克贝利的昵称。——译注

"没有。可是鲍勃·坦纳用过。"

"谁告你的?"

"他告诉杰夫·撒切尔,杰夫告诉约翰尼·贝克,约翰尼告诉吉姆·霍利斯,吉姆告诉本·罗杰,本告诉一个黑人,那黑人告诉了我。这下知道了吧!"

"这算什么? 他们全都撒谎。至少那个黑人是撒谎。我不认识他。不过,我从来没见过一个不撒谎的黑人。去他们的吧! 哈克,告诉我鲍勃·坦纳怎么干的。"

"这个嘛,他把手伸进雨水积的死水潭里,里面泡着个朽木桩。"

"在大白天?"

"当然。"

"面朝木桩?"

"是啊。至少我敢说是的。"

"他嘴里说什么了没有?"

"我不敢说。我不知道。"

"啊哈! 用那该死的笨办法,还说什么想用死水治瘊子! 那一点用也没有。你得独自走到树林里,找到朽树桩下面的死水潭,到了午夜,靠在树桩上,把手插进水里,嘴里念念有词说:

大麦谷,大麦谷,印第安饭菜和短裤,
死水潭,死水潭,吞掉这些瘊子吧。

"然后赶紧走,要闭着眼睛走十一步,然后转三个弯,回家不能跟任何人说话。要是跟人说话,咒语就破了。"

"这法子听上去倒不赖,不过,鲍勃·坦纳可不是这么干的。"

"肯定不是,我敢打赌。镇子上就数他的瘊子长得多。要是他知道怎么靠咒语用死水,浑身一个瘊子也没啦。哈克,我就是用那种办法把手上几千个瘊子都治好了。我总是跟蛤蟆耍,手上就总是长瘊子。有时候,我用豆子治瘊子。"

"不错,豆子挺好。我也用过。"

"是吗?你怎么用?"

"把豆子劈成两半,把瘊子割破,流出点血,把血抹在一半豆子上,挖个坑埋上,要在没有月亮的午夜时分埋在交叉路口,然后把剩下的豆子烧掉。沾了血的豆子就会抽啊抽,要把其他豆子抽回去,用不了多久,瘊子最后也给抽走了。"

"不错,就是这么干,哈克。办法是不错,不过,埋豆子的时候,嘴里应该念:'豆子下去,瘊子走,再也别来麻烦我!'那样更好些。乔伊·哈珀就是这么干的。他去的地方快到了康维尔镇了,几乎什么地方都去过。不过……你用死猫怎么治瘊子?"

"这还用说,太简单了。带着死猫,大约午夜时分到墓地,找个坏蛋的坟墓。到了午夜,鬼魂就要出来,可能有两三个,不过你看不见他们。你只能听见像刮风一样的声音,恐怕还能听见他们说话,他们带那个坏蛋走的时候,你就把死猫扔过去,嘴里念:'魔鬼跟着尸体走,死猫跟在鬼身后,瘊子附死猫,从我身上消!'所有瘊子就都消了。"

"听起来不错。哈克,你这么试过没有?"

"没有,是霍普金斯大妈告诉我的。"

"我看这话没错。大家说,她是个巫婆。"

"是吗?当然啦,汤姆,我当然知道她是个巫婆。她给俺爹施过魔法。是俺爹亲自告诉我的。他有一天回来,她对他施巫术,他就拣了块石头,要是她不躲,他就打中她了。那天夜里,他喝醉了,从坡上滚下去,把胳膊摔折了。"

"哎呀,那可太糟糕了。他怎么知道她对他施魔法?"

"老爹当然知道,这太容易了。俺爹说,看到有人死死盯住你看,那准是在施魔法,尤其是那人嘴里念念有词的时候。他们念念有词,就是倒着念祈祷词。"

"我说,哈克,你打算什么时候试这只死猫?"

"今儿黑夜。我敢打赌,今儿夜里瘸子能跟老霍斯·威廉斯一起走。"

"可他是礼拜六埋的。鬼魂不是星期六夜里把他带走的?"

"你怎么这么说!他们不到午夜哪能施展魔法?再说,又隔了礼拜天,魔鬼们礼拜天才不出来乱跑呢。"

"我没想过这事。那肯定是对的。让我跟你一起去吧?"

"当然行,只要你不怕就行。"

"怕!才不会呢。你会学猫叫不会?"

"会。到时候我学猫叫,你也用猫叫回答。上次,你让我在外头喵喵了半天,最后老海斯朝我扔了好几块石头,嘴里骂骂咧咧说:'这该死的猫!'我就朝他家窗户打了一砖头——这事你可不能说出去。"

"我不说。那天晚上我不能喵,因为姨妈盯着我呢。不过,这次我要喵。嘿,那是什么?"

"没什么,不过是个蛐蛐。"

"从哪儿逮的?"

"林子里。"

"你愿意换什么?"

"我不知道。我可不想拿它换东西。"

"那好吧。反正是个小不点的蛐蛐。"

"谁都能逮住个蛐蛐。听它叫让我高兴。"

"可不是,到处都有蛐蛐叫。要是我愿意,准能逮住一千只。"

"那你干吗不逮?你清楚自己逮不住。我保证,这蛐蛐挺年轻的,是我今年见到的第一个蛐蛐。"

"我说,哈克,我拿我的一颗牙齿跟你换。"

"让咱瞧瞧。"

汤姆掏出个小纸包,仔细打开。哈克贝利满怀好奇地望着,诱惑十分强烈。最后他说:

"是真牙?"

汤姆张开嘴巴,露出牙齿的豁口。

"那好吧,"哈克贝利说,"成交了。"

汤姆把蛐蛐关进爆竹筒,就是原来放钳嘴虫的那个筒筒。两个孩子分手了,各自都觉得比先前更富有。

学校教室是个独立的小建筑物。汤姆来到学校,脚步轻盈,大跨步走进去,态度像个别无旁顾的人。他把帽子挂在钩子上,迅速走到自己的座位,动作敏捷得像个生意人。老师的统治位置是个巨大的板条座扶手椅,读书声催人入睡,他正高坐在那里打盹。汤姆进来,一阵忙乱惊醒了他。

"托马斯·索亚!"

汤姆知道,老师叫他的全称,准有麻烦。

"老师。"

"上这儿来。你怎么像往常一样,又迟到了?"

汤姆正打算找个借口,突然发现一个女孩的两条长长的黄色发辫,心里立刻像触电一样产生了爱慕。她身旁是教室里惟一的空座位。他立刻大声说道:

"我路上停下来跟哈克贝利·费恩谈话来着!"

老师的脉搏不跳了,两眼死死盯着他。嗡嗡读书声静了下来。同学们纳闷,这个有勇无谋的孩子是不是疯了。老师问:

"你……你做什么来着?"

"停下来跟哈克贝利·费恩谈话来着!"

话没听错。

"托马斯·索亚,你的坦白让我吃惊,我从来没听见过这样的大实话。戒尺也不足以惩罚这种罪过。脱掉衣服。"

老师一直打到疲惫不堪,上下挥动的频率明显减慢,然后下令:

"现在,坐到女孩子那边去!记住这次教训。"

教室里一片嗤笑声,表面上让汤姆丢了脸,其实这种结果正是他渴望的,能与他心目中的崇拜偶像坐在一起,他感到又惊又喜,觉得太幸运了。他坐在松木板凳一头,身旁那位女孩脑袋一扭,使劲背过身去。同学们见了纷纷用胳膊肘捅自己的同座,相互眨眼,低声交谈。但是汤姆胳膊架在低矮的长桌上,坐着一动不动,看上去在聚精会神地看书。

渐渐地,大家的注意力从他身旁转移开来,沉闷的空气中再次泛起常有的低语声。不久,汤姆朝女孩偷偷望了一眼。她注意到了,撇了撇嘴,用后脑勺对着他。等到她谨慎地转过脸来,发现面前摆着一只桃。她猛地把桃推过去。汤姆轻轻把桃放回原来位置。她再次把桃推开,但是敌意减轻了。汤姆耐心地把桃推回原来的位置。这次她没有动。汤姆在石板上写了几个潦草的字:"请收下,我还有。"女孩朝那几个字瞅了一眼,什么也没表示。男孩开始在石板上作画,却用左手捂住石板。开始,女孩不去留意,但是,她止不住产生了好奇心,却几乎不让人看出什么迹象。男孩继续作画,表面上什么也不注意。女孩不顾一切,想要看,男孩也不再假装没注意到。最后她迟疑地压低声音说:

"让我看看。"

汤姆半掩着一幅房子的漫画,上面有两个尖角阁,烟囱里冒出的烟螺旋上升。女孩来了兴致,全然忘记了身外的一切。画作完了,她盯着看了一会儿,低声说:

"画得好。画个人儿吧。"

画家在前院安插了一个男子,代表的是一个小偷。人太大,能把房子一脚踢翻。女孩并不吹毛求疵,她对那个巨大的魔鬼感到满意,低声说:

"这人真漂亮。把我也画在上面。"

汤姆画了个沙漏,一个满月和一个稻草人的胳膊,伸开的手指抓着个奇怪的扇子。女孩说:

"真是太美了。要是我会画就好了。"

"这很容易,"汤姆低声说,"我教你。"

"啊,是真的? 什么时候?"

"中午。你回家吃午饭吗?"

"要是你不回,我就留下。"

"好。就这么定了。你叫什么名字?"

"贝基·撒切尔。你呢? 噢,我知道了,托马斯·索亚。"

"他们惩罚我才叫这个名字。我好的时候,是汤姆。你叫我汤姆,好吗?"

"好的。"

汤姆又开始在石板上胡写乱画,不让女孩看见。这次她不再含蓄,她要看看。汤姆说:

"哦,这什么也不是。"

"准是什么东西。"

"不是的。你肯定不想看。"

"我想看,真的想看。让我看看吧。"

"你会说出去的。"

"我不会。我保证,我保证,双重保证不会说。"

"你真的不会告诉任何人? 永远不会说出去?"

"是的,我谁也不告诉。现在,该让我看了。"

"噢,你肯定不想看!"

"你这么对我,我自己看。"她用小手抓住他的手,两人扭了一阵,汤姆装作真心抵抗,不过,最后让手从石板上滑开一点,露出几个字:"我爱你。"

"噢,你这个坏蛋!"她动作灵巧地在他手上拍了一下,不过飞红了脸颊,显得挺高兴。

正在这个关口上,汤姆觉得耳朵被死死抓住猛地往上一拉。老虎钳子一样的手抓着他,横过教室,把他拉回到自己的座位上。全班发出一阵咯咯笑声,如同给他的伤口上撒了一把胡椒粉。老师在他面前严厉地站了一阵,最后一句话都没说,回到自己的宝座。虽然汤姆的耳朵火辣辣地疼,可他心里却喜滋滋的。

教室平静下来后,汤姆真心诚意地开始学习,可他心里实在太乱了。上阅读课时,他搞得一塌糊涂;在地理上,他把湖名错当成了山名,山名当成了河名,河名当成洲名,整个搞了个乱七八糟;在拼写课上,几个小娃娃都会拼的字他都拼得颠三倒四,最后几个月来戴在胸前引为自豪的拼写优胜徽章也不得不交出去。

# 第 七 章

汤姆越是想集中精力,就越是分神。最后,他叹了口气,打了个哈欠,放弃了努力。他好像觉得,午休永远也不会到来。空气完全凝滞了,一丝风也没有。从来没有哪天像这一天更让人瞌睡。二十五名学生发出让人昏昏欲睡的低语,像蜜蜂的嗡嗡声一样让人心情平缓。卡迪夫山柔和的绿色山坡在炎热下轻轻摇曳着,距离给它染上了一抹淡紫色。空中有几只鸟儿伸展开懒洋洋的翅膀,除此之外,能看到的动物只有几头母牛,可它们也在打盹。汤姆的心中渴望获得自由,或者搞点有趣的事度过这段可怕的时光。他把手伸进衣袋,脸上立刻露出感激的光芒,就像个祈祷者,不过,他并不知道祈祷者会有这种感情。他掏出那节爆竹筒,把蛐蛐放出来,让它爬在长长的书桌上。这生灵或许因为感激会乐得发出祈祷声。不过,它还不成熟。它怀着感激之情准备跑开,汤姆用别针拨它,让它掉转方向。

汤姆的密友坐在他身旁,也像汤姆一样难受得要命,此时立刻对这场娱乐活动发生了极大的兴趣。这位密友是乔伊·哈珀。两个男孩在一星期中是盟誓朋友,到了星期六就成了势不两立的血战死敌。乔伊从衣服翻领上摘下一根别针,帮他逗这个俘虏。这项娱乐活动一时成为他们的乐趣。不久,汤姆说,他们俩相互妨碍,谁也不能从蛐蛐得到充分的乐趣。于是,他把乔伊的石板放在桌子上,在石板中央从上到下画了条线。

"我说,"他说道,"它到了你那边,你可以拨弄它,我不动手。

要是你放它到了我这一边,只要我不让它跑到你那边,你就不能
动。"

"好吧,动手吧,拨拨它。"

蟋蟀不久便从汤姆手下逃走,穿过那条边界。乔伊折磨了它
一会儿,然后,它再次穿过边界。蟋蟀频繁更换场地。一个孩子聚
精会神地烦扰它的时候,另一个孩子就兴致勃勃地旁观,两颗脑袋
紧紧凑在石板上,两个人完全顾不得身旁的任何事情。最后,运气
倾向乔伊一方了。蟋蟀试了这条路那条路,变得像两个男孩一样
亢奋,每次即将成功地逃脱,汤姆的手指头开始动作时,乔伊的别
针就敏捷地把它拨回去,重新控制住它。最后,汤姆再也忍受不住
了,诱惑实在太强烈。于是,他越过边界去参战。乔伊马上火了,
说:

"汤姆,你别动手。"

"我只是想稍稍拨它一下,乔伊。"

"不行。这不公平,你放手。"

"得了,我又不多动它。"

"你给我放手!"

"我不!"

"你必须放手。它在线这边。"

"嘿,乔伊·哈珀,你说说,这蟋蟀是谁的?"

"我管它是谁的,它在线这一边,你就不能动它。"

"我发誓,非动它不可。蟋蟀是我的,我高兴干什么就干什么,
谁也休想拦住我!"

汤姆的肩膀上突然挨了重重一击,乔伊也没有逃脱。两人衣
服上的尘土飞散在教室中,持续两分钟没有散尽。全班都乐不可
支。刚才,两个男孩太全神贯注了,根本没有注意到老师踮着脚尖
走到他们跟前,也没有留意到全班一时鸦雀无声。老师对他们的
活动观察了好一阵子,然后才给他们增添了一点新刺激。

中午下课时,汤姆一个箭步冲到贝基·撒切尔跟前,压低声音

对她耳语道:

"戴上帽子,就说你要回家。走到街拐角,借故走开,返回学校。我走另一条路,用同样办法骗他们。"

于是,一个跟着一群学生走,另一个跟着另一群。不久之后,两人又在小巷尽头相会,回到学校时,教室只有他们俩人。他们坐在一起,面前摆着一块石板,汤姆让贝基握着笔,他把着她的手,教她画。就这样,另一座房子创造出来。等到两人对艺术的兴趣渐渐淡化后,便开始闲谈。汤姆沉浸在幸福中。他问道:

"你喜爱老鼠吗?"

"不!我讨厌它们。"

"嗯,我也一样,我讨厌活老鼠。不过,我是说死老鼠,用一根绳子拴着,在头上悠着转。"

"不。不管是死是活,反正我不喜欢老鼠。我喜欢口香糖。"

"哦,我也喜欢!要是我现在有就好了。"

"真的?我就有。我先让你嚼一会儿,可你必须还给我。"

这一点达成协议后,两人交替享用那块口香糖,心满意足地晃动起小腿,踢着板凳。

"你看过马戏没有?"汤姆问。

"看过。要是遇上好的,爸爸还要带我去看。"

"我去过马戏团三四次……去过许多次。比起马戏团,教堂根本不值一提。马戏团有趣的东西实在太多了。等我长大了,我要到马戏团当个小丑。"

"真的?那可太有趣了。小丑们真可爱,浑身画着圆点。"

"不错。再说,他们挣钱多极了。本·罗杰说,他们大多数每天能挣一块钱呢。我说,贝基,你订婚了没有?"

"什么是订婚?"

"嗨,就是订好了要结婚呗。"

"没有。"

"你想不想订婚?"

"恐怕……我想。可我不知道那是怎么回事。"

"怎么回事? 没什么怎么回事。只是对一个男孩说,你除了他谁也不要,永远永远不要,然后你们接吻。就这些,谁都会做的。"

"接吻? 为什么事接吻?"

"这还用问? 这个嘛,是为了……反正他们都是这么做的。"

"人人都这么做?"

"不错。凡是相互爱上的人都这么做。你记得我在石板上写的字吗?"

"记得。"

"上面写的什么?"

"我不说。"

"那我对你说吧?"

"好……好……不过,以后再说。"

"不,现在就说。"

"不,现在别说……明天吧。"

"啊,不成,现在就说。求求你,贝基。我悄声说,我轻轻说出来。"

贝基迟疑了。汤姆认为她这是默认,就搂住她的腰,嘴巴凑在她耳朵上说了那句话。然后,他补充说:

"该你了,你低声对我说……说同样的话。"

她表示拒绝。片刻之后,她说:

"要是你把脸转过去不看,那我就说。可你不能告诉任何人,行不行,汤姆? 你不会说的,对不对?"

"当然,我当然不会说的。现在,说吧,贝基。"

他把脸扭向一边。她胆怯地弯过身子,凑近他,她的呼吸都吹动他的卷发了。她低声说:"我……爱……你!"

说完,她跳起身,跑开,汤姆在后面追。两人绕着桌凳跑了一圈又一圈。最后,她倚在屋子一角,撩起白围裙捂住脸。汤姆搂住她的脖子,求道:

"贝基,现在什么都好了,就剩接吻了。你别害怕,这什么事都没有。求你了,贝基。"他拉扯她的围裙和双手。

渐渐地,她放弃了抵抗,任凭双手垂下去。她的脸在挣扎中热得放出熠熠红光,这时缓缓凑上来。汤姆亲吻她的红唇,说:

"现在,一切都好了,贝基。你知道,在这之后,你除了我谁都不能爱,而且除了我不能跟任何人结婚,永远不能。好吗?"

"好。汤姆,除了你我谁都不爱,除了你我不跟任何人结婚。你也除了我不能跟任何其他人结婚。"

"当然啦。肯定的。这是平等的。上学和回家的时候,你要跟我一道走——就是说在没人看见的时候。在晚会上,你选择我,我选择你,因为订了婚的人们就是这样。"

"这太好了。我以前从来没听说过。"

"啊,实在是太高兴了! 我和埃米·劳伦斯……"

一双眼睛瞪得大大的。汤姆这才发觉自己说漏了嘴,觉得难堪。

"啊,汤姆! 这么说,我不是跟你订婚的第一个人!"

女孩哭了。汤姆说:

"别哭,贝基。我不再喜欢她了。"

"不,你喜欢她,汤姆,你知道你心里喜欢。"

汤姆想搂她的脖子,可她一把推开他,转身面向墙,接着哭。汤姆嘴里说着安慰的话,想再次搂她,结果又一次被推开。他的自豪感被激发出来,便大跨步走开,走到外面。他站在那里呆了一会儿,心里又不安又难受。他朝教室门口望了一眼,希望她能回心转意,出来找他。可她并没有。然后,他的心情开始变坏,心想,恐怕自己错了。要不要迈出新的一步,他内心斗争着。他鼓起勇气,返回教室。她仍然站在墙角面向墙壁啜泣。汤姆的心在谴责自己。他走到她身旁,不知所措地默默站了一会儿。然后,他迟疑地说:

"贝基,我……我除了你谁都不喜欢。"

没有回答,之后啜泣。

"贝基，"他乞求道，"贝基，你就不能说点什么？"

更多的啜泣。

汤姆掏出自己最珍贵的一件财宝——从柴堆上拣来的一个铜钮——送到她面前，让她看见，说：

"贝基，求你。你不愿接受吗？"

她挥手把它打落在地。汤姆一气之下走出教室，翻过小山，那天没来上学。

不久，贝基开始猜疑。她跑到门口，没有他的踪影。她奔向操场，他不在那儿。她开始呼喊：

"汤姆！回来，汤姆！"

她凝神倾听，可是没人答应。她没有伙伴了，只剩下寂静和孤独。于是，她跌坐下再哭，责骂自己。到这时，同学们开始陆续上学，她不得不藏起自己的悲哀，让一颗破碎的心平静下来，承受漫长下午的沉闷、磨难和痛苦。陌生人们中间，没人听她倾诉悲哀。

# 第 八 章

汤姆在小巷中到处躲藏，避开上学的学生们，然后闷闷不乐地闲逛。他一连两三次跨过一条小溪，因为当时的少年有一种迷信，认为水能阻挡烦恼的追逐。半小时后，他登上卡迪夫山，消失在道格拉斯家的公馆后面，学校的教室被撇在山谷后面，几乎看不见了。他走进一片密林，找了条人迹罕至的路，来到林子中央，在一棵枝叶舒展的橡树下停住脚步，坐在长满青苔的地面上。一丝风都没有，正午的炎热死一般覆盖着大地，连鸟儿也不歌唱。大自然在昏睡，除了远处啄木鸟的敲打声，周围什么声音也没有，啄木鸟的敲打使弥漫四野的寂静显得更加深沉，孤独的感觉也更加深刻。孩子沉浸在悲哀中，他的感情与周围环境颇为和谐。他胳膊肘支在膝盖上，双手托着下巴思索着。他似乎觉得，生活充其量不过是一场烦恼。他甚至有点羡慕最近死去的吉米·霍奇斯。他想像,永远躺在那里睡觉,做梦,肯定非常平静,周围只有穿过树木枝叶的微风,轻抚坟茔上的草丛花朵,再也没有烦扰和悲伤。要是他在主日学校有个好名声,他很愿意就这么撒手尘寰。至于说那个女孩,他到底做了什么?什么也没有。他表达了世界上最好的心意,受到的待遇却像一条狗——完全是狗的待遇。将来她会后悔的——恐怕到时候就太晚了。啊,要是他能暂时死去就好了。

但是,年轻的心富有弹性,不可能长时间强压成一种形状,不久,汤姆便不知不觉地重新关心起自己的生活来。假如他神秘地失踪,会发生什么事情?假如他远走高飞,到大海那边的异国他乡去,再也不回来,又会怎么样?到那时,她会做何感受!想做小丑的念头回到他心里,可他觉得这想法让他恶心。轻薄的举止和插科打诨,外加那身花哩胡哨的衣裳,简直是贬低人格。这种想法闯进朦胧中尊贵而浪漫的王国,实在是一种冒犯。不,他要做个军人,多年后返回故里,带回赫赫战功和荣耀。不——更好的办法是加入印第安人,猎捕野牛,在蛮荒的群山间和渺无人迹的西部大平原上行军,将来做了酋长,头上戴着瑟瑟作响的羽毛头饰,脸上涂着让人望而生畏的油彩,在某个让人昏昏欲睡的星期日上午,突然扑向主日学校,嘴里发出震耳的呜呼呼叫声,让人们听了血液都能凝固住,让他的伙伴们嫉妒得眼睛都冒出火来。不,还有比这更华丽的事情。他要当个海盗!对了!他的前途变得平坦,闪耀着无法想像的显赫光芒。他会扬名世界,人们听了他的名字就发抖!他要划开飞舞的海浪,乘坐的是黑色船壳甲板低矮的长船,名字要叫暴风灵魂号,船头飘扬一面阴森森的旗帜!在他的名望达到巅峰时,突然有一天,他大跨步回到这个老镇子上,走进教堂。只见他皮肤是古铜色的,饱经风霜,身穿黑色天鹅绒马甲和裤子,脚登一双高腰大皮靴,腰系深红色丝带,皮带上挎着马枪和饱浸罪恶的短剑,头上的帽子低压在额际,上面插着随风飘荡的羽毛,他的黑色旗帜迎风飞舞,上面的图案是白森森的骷髅和腿骨。人们在狂喜中低声赞叹:"这就是海盗汤姆·索亚! 著名的西班牙黑色复仇者!"

对。就这么定了。他的生涯已经确定。他要离家出走,加入海盗集团。他明天一早就出发。因此,他现在必须做好准备。他要把自己的东西都收拾在一起。他走到一截腐朽的树干跟前,掏出单刃刀在一头挖。他很快便听到了空洞的木头发出的声音。他把手压在上面,用生动的声音说了一段咒语:

"没来的快来! 来了的别走!"

然后,他把污秽挖出去,弄出一块松木板子。他把木板取出来,暴露出下面一个小小宝库。宝库的底子和四壁都是木板的,里面放着一颗石头弹子。汤姆感到无限吃惊,他迷惑不解地搔抓着脑袋,说:

"啊,什么都比不上它的价值!"

他恼火地把弹子扔出去,站在那里思索。其实,这是因为他的一个迷信想法失败了,他和小伙伴们本来以为是绝对可靠的。他们把一颗石头弹子埋起来,一边埋一边念某种咒语,两个星期后,念同样的咒语把它挖出来,以前丢失的石头弹子应该全部聚在这里,不论它们是在多远的地方丢掉的。汤姆的整个信心基础都动摇了。这种事情他听大家说过多次,据说没一次失败过。他也试过多次,只是到后来总是忘记埋藏地点。他为这事迷惑了一阵子,最后认定,准是有个巫婆作祟,破了咒语。为了报复,他在四周搜索,发现一个小沙坑,里面是个漏斗状的凹陷。他趴在地上,嘴巴贴近小坑,喊道:

傻瓜虫,傻瓜虫,快把实情告诉我!
傻瓜虫,傻瓜虫,快把实情告诉我!

沙子开始流动,一只黑色的小虫在坑口露了一下面,然后吓得立即钻回去。

"它什么都没说！这么说,准是个巫婆干的。这我就知道了。"

他很清楚,跟巫婆作对毫无用处,便放弃了,感到灰心丧气。不过,他忽然想到,该把扔掉的石头弹子找回来,便回到自己的宝藏位置,耐心地寻找,可是怎么也找不到。然后,他换一种方法,回到原来扔石头弹子的位置,回忆起原来的姿势和方向,从口袋里掏出另一颗弹子一边扔一边说:

"去找你的兄弟吧!"

他望着它的落点,跑过去寻找。它不是落得近了点就是远了些,于是,他试了第二次。最后一次是成功的。两颗弹子落子距离不到一英尺的位置上。

正在这时,林子里传来一阵微弱的玩具小号的声音。汤姆立即脱掉上衣和裤子,把裤子吊带取下来拴在腰上充当腰带,扒开那截朽树干上盖的草,露出下面藏的一个制作粗笨的弓和箭,一柄木板削的剑和一个铁皮喇叭。一眨眼工夫,他抓起这些兵器,蹦蹦跳跳跑走了,上身只穿着衬衫,两条腿光着什么也没穿。他在一棵大榆树下停住脚步,吹响喇叭作为回答,然后机警地踮起脚尖到处张望。他谨慎地对一个想像中的同伴说:

"别动,我的好汉! 藏着别动,等我吹号才冲锋。"

乔伊·哈珀出现了,他的衣着跟汤姆一样轻松。汤姆喊道:

"站住! 没有我的文牒,哪个敢走进舍伍德森林①?"

"吉斯堡的人②用不着别人开文牒。汝何许人也,胆敢……胆敢……"

"胆敢用这般语言与我讲话。"汤姆向他提词。他们俩凭着记忆,用书上的对白讲话。

"汝何许人也,胆敢用这般语言与我讲话?"

"吾乃罗宾汉,教你这贱人见识见识。"

---

① 舍伍德森林:英国传说中绿林好汉罗宾汉的驻地。——译注
② 吉斯堡的人:罗宾汉的自称。——译注

"如此说来,你真是那著名的绿林好汉啦?吾倒要见识见识。"

两人抽出木剑,把其他装备摔在地上,面对面摆开架势,开始一本正经地谨慎厮杀了两个回合。然后汤姆说:

"好啦,要是你懂得诀窍,就该动作轻盈些!"

于是,他们的动作变得轻盈了。这阵折腾把他们累得气喘吁吁,浑身冒汗。后来,汤姆嚷道:

"倒下!倒下!你干吗不倒下?"

"我才不倒呢!你自己干吗不倒?你挨的次数多。"

"那算得了什么。我不能倒下,书上不是这么说的。书上说,'然后,从背后捅来一剑,将可怜的吉斯堡好汉杀害了。'所以,你该背过身,让我从你背后给你一剑。"

乔伊认为不能跟专家争辩,就转过身吃了一剑,倒在地上。

"现在,"乔伊站起身说,"你也得让我杀了你。这样才公平。"

"那哪儿行呢,我可不能这么做,书上可没这么说。"

"那书就该死,去他的混账书!"

"嗳,我说,乔伊。要不你来修道士塔克的角色,或者磨坊主的儿子马奇,用木棍打我,要不我来诺丁汉郡长,你来罗宾汉,你把我杀了不就得了。"

这建议还算比较满意,于是两人继续打斗。然后,汤姆再次扮演罗宾汉,反叛的修女允许他不去多考虑流血的伤口,最后,他失血过多而死去。乔伊扮演全部好汉,为头领牺牲伤心痛哭,悲哀地把他拖走,将他的弓递到他虚弱的手中。汤姆说:"在箭落下的地方,将可怜的罗宾汉葬在绿林的树丛间吧。"他射出一箭,本来该倒在地上死去,可他靠在一株树丛上,然后笑嘻嘻跳起身,模样乐得根本不像具死尸。

两个孩子穿上衣服,藏起武器装备,走的时候,心里颇感悲哀,因为不再有绿林好汉了。他们不清楚现代文明有什么能补偿他们的损失。他们说,宁愿当一年舍伍德森林的绿林好汉,也不当一辈子美国总统。

# 第 九 章

　　那天晚上九点半,汤姆和锡德像往常一样被打发上床。他们做了晚祷,锡德很快就睡着了。汤姆睁着眼躺在床上,不安地等待着。他觉得天都快要亮了,时钟才敲十点钟!他简直绝望了。要不是害怕惊醒锡德,他准会由着自己的性子,在床上辗转个不停。他躺着一动不动,然后在夜色中出发了。一切都静谧得让人打不起精神。渐渐地,细微的声音在静谧中出现了。时钟的嘀嗒声逐渐被人注意到了。陈旧的房梁开始发出神秘的爆裂声。楼梯微微嘎吱作响。很显然,鬼魂就在外面。波利姨妈的屋子里发出舒缓而低沉的鼾声。此时,让人厌倦的蟋蟀叫声开始了,至于声音来自哪个方向,那可是人类根本无法弄明白的。接着,床头这边的墙上有个蛀虫开始发出可怕的咔嚓咔嚓的啃噬声,汤姆不免为之战栗。因为这种蛀虫的名字叫守灵者,那就准是有个人的余日无多了。后来,夜空中传来远处的犬吠,另一条狗从更远处呼应着。汤姆觉得难受。最后,他感到满意了,时间停止了脚步,永恒终于来临。尽管他竭力保持清醒,可他还是开始打瞌睡。时钟敲响十一点,可他并没有听见。一阵猫儿叫春的声音搀进他尚未完全成形的梦中。邻居拉起窗户,大声喊:"快滚开!你这个魔鬼!"一只空瓶子砸碎在姨妈的木棚上,把他彻底惊醒了。只用了一分钟,他就穿好了衣服,爬出窗户,四肢并用,趴在"L"形屋顶上。他一边爬,一边谨慎地"喵"了一两声,然后跳到木棚顶上,滑到地面。哈克贝利·费恩已经在那儿了,手里提着他的死猫。两个男孩出发,消失在朦胧夜色中。半个小时后,他们走在了墓地的高草之间。

　　这是一个西方老式墓地,位置在一个山丘上,距离镇子有一英里半。周围有一道歪歪斜斜的木篱笆,有的地方向外倒,其余的地方朝里歪,直立的根本就没有。高高的野草遍布整个墓地。所有旧坟墓都塌陷下去了,这儿连一块墓碑都没有。坟墓上插着上端半圆形的木牌子,早已被虫蛀得一塌糊涂,一块块全都东倒西歪。牌子上曾经印过诸如"×××之墓"的字样,可是,现在就是有光线,大多数牌子上的字也根本认不出来。

一阵风刮来,在树梢上哀嚎,汤姆害怕了,认为那可能是死人的鬼魂在抱怨受到打扰。两个孩子很少交谈,说话的时候也把声音压得低低的,因为这个时间和地点以及周围弥漫的肃穆静谧深深压抑着他们。他们找到那个新的尖土堆,在距离坟墓几英尺开外的三棵大榆树中间隐藏下来。

接着,他们默默等待了仿佛很长时间。远处一只猫头鹰的叫声是惟一打破这片死寂的声音。汤姆的情绪变得沉重了。他必须开口说点什么。于是,他压低声音说:

"哈克,你认为死人喜欢我们上这儿来吗?"

哈克贝利低声说:

"我倒真想弄个明白。太死气沉沉了,对不对?"

"我敢打赌,的确是的。"

安静了相当长一段时间,两个男孩心中仔细思量着这事。然后,汤姆低语道:

"我说,哈克,你说霍斯·威廉斯能不能听见咱们说话?"

"他当然能听见,至少他的鬼魂能听见。"

停顿片刻后,汤姆说:

"我该说威廉斯先生才对。不过,我并不带一丝恶意。人人都叫他霍斯。"

"汤姆,一个人称呼这些死人,哪能那么讲究呀。"

这话让人扫兴,交谈再次中断了。

片刻之后,汤姆抓住同伴的胳膊,说:

"嘘!"

"怎么啦,汤姆?"两个孩子紧紧搂在一起,两颗心咚咚直跳。

"嘘! 又来了! 你听不见?"

"我……"

"听！现在听见了吧。"

"天哪，汤姆，他们来了！肯定是他们来了。我们怎么办哪？"

"我不知道。他们能看见我们吗？"

"噢，汤姆，他们能在黑暗中看见东西，就像猫。我真不该来。"

"别害怕。我不相信他们能找咱们的麻烦。我们又没害他们。要是咱们一动也不动，也许他们根本就注意不到咱们。"

"我尽量不动，汤姆，可是，老天爷，我浑身都在发抖。"

"听！"

两个男孩的脑袋贴在一起，几乎屏住了呼吸。墓地另一端传来几个低沉的声音。

"瞧！看那儿！"汤姆耳语道，"是什么？"

"是鬼火。啊，汤姆，这太吓人了。"

黑暗中，几个模糊的影子在走近，一盏老式铁皮提灯来回晃动，将无数光点洒在地上。哈克贝利战栗着低语道：

"没错，是鬼。有三个！老天，汤姆，咱们没指望了！你会祷告不会？"

"我试试看吧，不过，你别害怕。他们不会伤着咱们。现在，我要躺下睡觉了。我……"

"嘘！"

"怎么啦，哈克？"

"他们是人！反正其中有一个是人。我听出，有一个是老穆夫·波特的声音。"

"不、不可能吧？"

"我敢打赌，我听得出。你别打扰，也别动。他不太灵敏，注意不到咱们。喝醉了，像往常一样。不中用的老东西！"

"好的，我不动。现在他们不动了，看不见了，他们又来了。他们在吵闹。平静下来了。又在吵。吵得猛烈了！这次，他们在右面。我说，哈克，我听出另一个人的声音了。是印第安·乔伊。"

"没错。是那个杀人犯恶棍！我宁愿看见鬼也不想见到他。他们在那儿干吗？"

这阵子，说话的声音没了，那三个人来到距离两个孩子藏身处只有几英尺远的地方，在一个坟墓前停下。

"就这儿，"第三个声音说。说话的人举起灯，照亮了年轻大夫罗宾逊的脸。

波特和印第安·乔伊抬着个搬运架，上面放着一根绳子和两把铁锹。他们把东西放下，动手挖坟墓。大夫把灯放在坟墓头上，走过来，靠着一棵榆树坐下。他就在两个男孩跟前，他们一伸手就能摸到他。

"快点，伙计们！"他压低声音说，"月亮很快就要升起来了。"

两人嘟囔一声，接着挖。有一阵子，除了铁锹扬出沙土的摩擦声，周围什么声音也没有，声音非常单调。最后，一把铁锹碰到了棺材，听到木头的沉闷回声。一两分钟之后，两个男人便把棺材抬到地面上来了。他们用铁锹撬开棺盖，动作野蛮地把尸体掼在地上。月亮从云彩后面露出脸，照亮了那张苍白的面孔。搬运架拖了过来，覆盖了一张毯子，用绳子拴好。波特掏出一把刀，割断多余的绳子，说：

"现在，这该死的东西已经准备好了，外科医生，你得再出五块，要不就让她呆在这儿。"

"说得对！"印第安·乔伊说。

"你们这是什么意思？"大夫问，"你们提出先付款，我已经付给你们了呀。"

"不错，你干的事情还不止这些。"印第安·乔伊说着，朝大夫走过来。大夫站起身。"五年前的一个晚上，你把我从你爹的厨房赶出去，可我只是为了要点吃的东西，你说我去那儿没安好心。我发誓说，就是过了一百年，我也要跟你算这笔账。就为这话，你爹给我安了个流浪罪名，把我关进监牢。你当我会忘记？印第安的血液不会白白在我身上流动。现在，你落到我手里了，你得把这事摆

平,知道吗?"他冲着大夫的脸晃了晃拳头,开始威胁大夫。大夫猛然出手,将这个恶棍打倒在地。波特的刀子掉在了地上,喊道:

"好你小子,敢打我的伙伴!"接着,他立刻跟大夫拼命扭打成一团,两个人的脚后跟在草地上胡乱践踏。印第安·乔伊跳起身,眼睛里闪烁出火焰,抓起波特的刀,像猫一样弯着腰朝他们靠过去,围着两个扭打的人转了一圈又一圈,寻找着机会。突然,大夫挣脱出来,抓起威廉斯墓上那块沉重的木牌,挥动起来,将波特打倒在地。说时迟,那时快,野蛮人见机会来了,猛地把刀深深刺进大夫胸膛,只有刀柄露在外面。大夫踉踉跄跄走了几步,绊倒在波特身上,他的血涌出来,泻在波特身上。这时,云彩飘来遮住这恐怖的一幕,两个惊恐的孩子在黑暗中加快脚步逃走了。

月亮再次显现出来时,印第安·乔伊站在两个人旁边,望着他们沉思。大夫口齿不清地低声念叨着,呼了一两口气,不动了。野蛮人说:

"这笔账了结了——诅咒你。"

他抢走了死人的财物,然后将那把致命的刀放在波特张开的手里,在打开的棺材上坐下。三分钟过去了,四分钟,五分钟。波特开始活动,嘴里呻吟着。他的手握住那把刀,举起来看了一下,然后任凭它掉在地上,浑身不禁颤抖起来。他坐起来,把尸体从身上推开,盯着它望了一会儿,然后望了望周围,感到迷惑不解。他跟乔伊的眼睛四目相对。

"老天爷,这是怎么啦,乔伊?"他问。

"是一桩倒霉事,"乔伊说道。他的身体一下也没动。

"你干吗这么干?"

"我? 根本不是我干的! 瞧瞧吧! 你这话绝对不能洗刷自己。"

波特浑身发抖,脸色变得苍白。

"我以为我比较清醒。我今晚就没喝酒。可我脑袋还是昏沉沉的。开始在这儿干活后,我就更加糊涂了。我整个醉醺醺的,几乎什么也记不起来了。告诉我，乔伊——说老实话，老伙计，是我干的？乔伊，我从来没打算……以我的灵魂和荣誉起誓，我绝对没打算这么干，乔伊。对我说说，到底是怎么发生的？噢，实在太可怕了。他这么年轻，前途远大。"

"这还用说吗？你们俩扭打在一起，他挥动当墓碑的木头牌子把你打倒，你站起来朝他扑上去，脚步踉跄，跌跌撞撞的，抓起刀捅进他身子里，当时他挥动木牌子，正朝你第二次打来，结果，你们俩都倒在地上，你就这么一直躺到刚才。"

"啊，我不知道我干了些什么。要是我真的干了，我真希望此刻我立刻死掉。我敢打赌，这全都是喝了威士忌发酒疯的错。乔伊，我一辈子从来没用过武器。我打过架，可从来没用过武器。他们都是这么说的。乔伊，别告诉别人！我知道你不会告诉别人的，好伙计。我从来都喜欢你，乔伊，而且总是保护你。你不记得了？别把这事说出去，乔伊，好吗？"这个可怜人儿在铁石心肠的杀人犯面前跪下来，双手合十乞求。

"好的。你从来公平待我，穆夫·波特，我不会恩将仇报。行了吧，我的话说得够清楚了。"

"啊，乔伊，你是个天使。我活一天就要为这事向你祝福一天。"波特开始哭泣。

"行了，这事说够了。现在没时间唠叨。你走那条路，我走这条，别在身后留下脚印。"

波特快步走开，很快就变成了奔跑。那野蛮人望着他的背影，嘟囔道：

"瞧那副魂不附体的德性，朗姆酒让他走路跟跟踉踉跄跄。等他走出一截路，想起这把刀，却不敢独自来这个地方了——胆小鬼！"

两三分钟后，受害者、裹了毯子的尸体、开了盖子的棺材和敞开的坟墓便没有人再去注意，只有月亮在审视着这一切。这里又重归寂静了。

# 第 十 章

两个孩子拼命奔跑,飞也似地奔向镇子,惊骇得根本说不出话来。他们不时扭头,惴惴不安地朝后面望一眼,仿佛害怕有人追上来。前面忽然出现的每一根树桩,看上去都是一个人或者一个敌人,让他们大气都不敢出。他们从镇子外面的农舍经过,惊醒了一条条看家狗,犬吠声似乎让他们脚上插了翅膀。

"咱们……先去老鞣皮作坊……歇一歇,要不……咱就垮了!"汤姆气喘吁吁地说,"我坚持不了多一会儿了。"

哈克贝利的回答只是使劲喘出的粗气,两个孩子盯住希望的目标,奔跑过去。他们飞速接近了那房子,最后,两人胸脯同时撞开没上锁的门,倒在屋子里面的黑暗中。两个孩子的心脏狂跳渐渐平息下来。汤姆低声说:

"哈克贝利,你说这事最后会怎么样?"

"要是罗宾逊大夫死了,我敢打赌,他准得上绞架。"

"你这么想?"

"我知道准是这结果,汤姆。"

汤姆思索片刻,然后说:

"谁会说出真相呢? 我们?"

"你说什么呀? 万一发生什么事,印第安·乔伊没上绞架呢? 他迟早会杀了咱们,这事太肯定了,就像咱们躺的地方一样实在。"

"哈克,我也是这么想的。"

"要是有人说出真相,该是穆夫·波特,他可是个傻瓜。他总是喝得醉醺醺的。"

汤姆什么也不说,接着思索。不久,他低声说:

"哈克,穆夫·波特不知道真相,他怎么说呢?"

"他怎么不知道?"

"因为印第安·乔伊动手杀人的时候,波特刚挨了打。你想他能看见什么?你以为他能知道什么?"

"说实话,真是这么回事,汤姆!"

"再说,那一板子会不会把他打死呢?"

"不可能,汤姆。他有点醉,我能看出来。他从来都是醉醺醺的。俺爹喝多了,就是抓住他,用皮带打他的脑袋,他也醒不了。连他自己都这么说。穆夫·波特当然也是一个样。不过,要是换了一个清醒的男人,说不准那一板子还真能要了他的命。我不知道。"

又是一段沉默和思索过后,汤姆说:

"哈克,你肯定你能保持沉默?"

"汤姆,我们必须保持沉默。这你知道。要是咱们说出这事,他又没给绞死,那个印第安魔鬼要咱俩的命,就像弄死一对猫。听我说,汤姆,咱们必须发个誓,相互发誓保持沉默。"

"我同意。这可是最美妙的事情。咱们拉住手指头,发誓说我们……"

"不不不,这事不能用那种勾当。鸡毛蒜皮的琐事用那办法还凑合,尤其在女娃娃们之间,因为那种办法迟早要吹,只要有人一诈唬,秘密就泄露了。像这么大的事情应该写在纸上。要用血书。"

汤姆全心全意赞成这个主意。深更半夜,黑黢黢的环境,要命的境况,这一切都与血书无比协调。借着月光,他拣了个干净的松木片,从口袋里掏出一个赭红色石头碎片,坐在月光下,开始写誓言。他写得很痛苦,字很潦草,牙齿咬住伸出嘴巴外面的舌头,每写一画,都使相当大的力气。最后写出这么几行:

哈克·费恩和

汤姆·索亚发誓

要对这事保守秘密

要是谁说出去
情愿倒在路上
马上就死。

哈克贝利对汤姆写字的本事和语言的高尚风格崇拜得五体投地。他立刻从领子上摘下别针,打算刺破皮肤,可是汤姆说:

"等一等!别那么做。别针是铜的,上面可能有碳酸铜。"

"什么是碳酸铜?"

"一种毒,有害处的。你得先吸出一点才成。看我的。"

汤姆打开自己的一根别针,两个孩子刺破自己的大拇指,挤出一滴血。挤压多次后,汤姆终于用血在木片上签上了自己姓和名的第一个字母。然后,他告诉哈克贝利,如何写上 H 和 F,代表他的名字。起誓程序完成了。他们举行了阴郁的仪式,念了咒语,把木片埋在墙根前。两个孩子认为,束缚两人舌头的锁已经锁上,钥匙被抛弃。

一个人影从另一头的缺口来到这个破烂房子,可他们并没有注意到。

"汤姆,"哈克贝利低声说,"这能让我们永远保守秘密吗?"

"当然能。不论发生什么事情,我们必须保守秘密。要不然,我们就得马上倒下死去。这个你知道吗?"

"不错,我打赌是这样的。"

他们俩继续压低声音交谈了一阵子。不久,一条狗在外面发出一声长长的哀号,狗离他们只有不到十英尺。两个孩子吓得紧紧搂住对方。

"它要咬谁?你还是我?"哈克贝利上气不接下气地问。

"我不知道。从裂缝看看。快!"

"不,你去,汤姆!"

"我不能,我不干,哈克!"

"求求你,汤姆。听哪,它又叫了!"

"哦,老天。谢天谢地!"汤姆低声说,"我听出它的声音来了。是哈宾森家的狗。"

"啊,要是那样就好。我跟你说,汤姆,吓死我了,我敢打赌,那准是条野狗。"

狗又叫起来了。两个孩子的心再次沉下去。

"噢,我的天! 那不是哈宾森的狗!"哈克贝利低语道,"看看吧,汤姆!"

汤姆吓得胆战心惊,让步了。他把眼睛凑到裂缝上。他的声音低得几乎听不见:

"哈克,是条野狗!"

"快说,汤姆,快! 它要咬谁?"

"哈克,它准是要咬咱们俩。因为咱们俩在一起。"

"啊,汤姆。我看咱们没指望了。我打赌,我该上哪儿去已经没有疑问了。我中了邪。"

"见它的鬼! 这都是因为逃学,还有干种种大人不让干的事。我本来能做个好孩子,就像锡德一样。当然,我不愿意。要是这次放过我,我保证愿意去主日学校!"汤姆有点抽鼻子了。

"你是坏孩子!"哈克贝利也有点抽鼻子,"见鬼,汤姆·索亚,跟我比起来,你的日子再好不过了。啊,上帝,上帝,上帝啊,但愿我的机会比得上你的一半。"

汤姆止住哽咽,低声说:

"瞧,哈克,瞧哇! 它背朝我们!"

哈克望去,不禁喜上心头。

"哎呀,真的。刚才也是这样?"

"是啊。可我就像个傻瓜,根本没考虑。你知道,这是恐吓。它在吓唬谁?"

狗叫声停止了。汤姆凝神细听。

"嘘! 那是什么?"他低语道。

"听上去像是猪哼。不,像是有人在打呼噜,汤姆。"

"对！在哪儿,哈克?"

"我看就在房子另一头。反正听上去像是那头。爸爸以前常在那头睡觉,跟猪在一起。不过,上帝保佑,他打呼噜声音很大。再说,我看他不会再回这个镇子了。"

探险精神重新回到两个男孩的灵魂里。

"哈克,我带头,你敢不敢跟我走?"

"我不喜欢这主意。汤姆,万一是印第安·乔伊怎么办?"

汤姆胆怯了。但是,过了一会儿,两个孩子抵挡不住诱惑,决定试一试。两人约定,如果鼾声停止,他们就撒丫子逃走。于是,他们踮起脚尖,一前一后悄悄走过去。到了离打鼾的人只有五英尺远的地方,汤姆踩上一根树枝,一声清脆的嘎吧声后,那人哼了一声,翻了个身,脸正好露在月光下。是穆夫·波特。那人翻身的时候,两个孩子的心跳停止了,希望也随之破灭。但是,他们的恐惧很快便消失了。两人又踮着脚尖,经过风雨剥蚀的破地板走出去,在不远的地方停住脚步,相互道别。那条狗拖长腔调的哀鸣再次响起!他们转身望去,见一条陌生的狗站在距离波特几英尺外,面对着波特,鼻子指着天空。

"啊,原来是它!"两个孩子舒了口气。

"我说,汤姆,他们说,两个礼拜以前,一条野狗曾经在午夜时分到约翰尼·米勒家房子外面嚎叫。当天晚上,还有只纹母鸟落在栏杆上歌唱,现在,房子里连个死人都没了。"

"这个我知道。可是,要是房子里没人,第二个星期六,格丽斯·米勒怎么会倒在厨房的火炉上,把自己弄成重伤?"

"不错,可她不是死人。再说啦,她的伤已经好多了。"

"算你说得对,咱们等着瞧吧。她没指望了,就像穆夫·波特一样,也没希望了。黑人们都这么说,他们对这种事情知道得清清楚楚,哈克。"

两人沉思着分了手。汤姆从窗户爬回自己卧室,黑夜已经过去大半。他小心翼翼地脱掉衣服,入睡的时候感到庆幸,因为谁也不知道他曾经逃出去过。他并不知道,此时锡德的鼾声很轻,他并没有睡着,而且已经醒来一个小时了。

汤姆醒来,锡德已经穿好衣服走了。从屋子里光线看,时间已经不早,整个气氛也显得很晚了。他吃了一惊。为什么没人叫他起床?往常,他起床晚了总是饱受折磨的。他感到一种不祥的预兆。没出五分钟,他就穿好衣服下了楼,感到浑身难受,昏昏欲睡。全家人还在餐桌旁边,不过,大家已经吃过早饭了。没有人责难他,不过大家都避免看他。沉默和严肃就像一柄冷冰冰的剑,戳进他这个罪人的心里。他坐在桌子旁边,试图显出欢乐,但很困难,并没有激起人们的微笑,也没人做出反应。他陷入沉默,任凭自己的心沉下去,越沉越深。

早饭后,姨妈把他拉到一边,汤姆几乎为即将挨一顿打了结这事而感到喜悦。他并没有得到一顿打骂。他姨妈对着他伤心痛哭,问他为什么要这样伤她那颗老心。最后,姨妈告诉他说,他可以随自己的便,毁掉自己算了,让她带着一头灰发和悲哀的心进坟墓,因为她再试也没用了。这可比一千下鞭答更可怕,汤姆的心这时比身体更疼痛。他哭了,乞求原谅,一再保证说,要改过自新。然后,他得到允许走开,心里感到,他只得到姨妈部分的原谅,也只让姨妈建立了虚弱的信心。

他离开姨妈的时候,心里太难过了,甚至没想到向锡德报复,所以,锡德匆匆溜出后门也完全没有必要。他神情忧郁地拖着脚步向学校走去,因为前一天逃学,与乔伊·哈珀一同吃了鞭子。汤姆的神情,就像心里有更大的悲哀,全然顾不上眼前这些无聊琐事。然后,他回到自己座位上,胳膊肘支在桌子上,双手托着腮帮子,两眼盯在墙上,模样仿佛一尊受难者的石像,似乎所受的苦难已经达到顶点,再也无法承受更多的悲哀。他的胳膊肘抵在一个坚硬的东西上了。过了很长时间,他带着悲哀神色,缓缓改变一下姿势,叹了口气,拣起那个东西。那东西用纸包着。他打开纸包,接着发出一个粗声长叹,他的心碎了。是他那颗铜钮!

这可是压断骆驼脊背的最后一根稻草。

# 第十一章

中午时分,整个镇子突然像触了电,可怕的消息立刻传播开来,根本用不着当时还没有的电报。噩耗从一个人传到另一个,从一群人传到另一群,速度丝毫也不亚于电报。那天下午,学校老师当然给学生们放了半天假。假如他不这么做,镇子上的人反倒会觉得奇怪。

根据人们的说法,受害者身旁发现了一柄血淋淋的刀,有人认出是穆夫·波特的。据说,一位睡觉很晚的居民凌晨一两点钟遇见过波特,见他在一条小溪边洗澡,波特发现有人,立刻溜走了。这可是个疑点,因为波特没有洗澡的习惯。另外,据说整个镇子都在搜寻这个"杀人犯"。在筛选证据,得出判决方面,公众从来不会迟疑。但是,仍然没有找到他。马队已经出发,奔向各个方向的每一条道路,警长"深信",天黑前就能将他抓捕归案。

整个镇子都在朝墓地移动。汤姆的伤感消失了,他加入到这个行进的行列中。他并非不渴望到其他地方去,但是一种可怕而无法解释的魔力吸引着他。到了那个可怕的地方,他像一条小虫一样,从人群中挤过去,目睹了凄惨的场面。他仿佛觉得,自从上次到过这里,已经有漫长的一年过去了。有人掐了他胳膊一下,他转过身,与哈克贝利四目相对。两个孩子立刻朝别的地方望去,不知道别人是不是从他们的眼神里看出了什么。但是,每个人都在说话,眼前的可怕景象让他们情绪激越。

"可怜的人!""可怜的年轻人!""对盗墓人应该是个教训!""逮住凶手穆夫·波特,一定得绞死他!"人们就这么嗡嗡地评论。牧师说:"这是一场裁判,上帝的手就在这里。"

汤姆从头到脚都在颤抖,因为他看到了印第安·乔伊那张不动声色的面孔。正在这时，人群开始骚动，几个声音在喊："他在那儿！他在那儿！他自己送上门来了！"

"谁？谁？"几十个声音同时问。

"穆夫·波特！"

"嗨，他站住了！瞧哇，他要转身！别让他跑了！"

有人在汤姆脑袋上方的树上趴着瞭了望，说是他并不打算走开，只是显得有点疑惑。

"厚颜无耻的恶魔！"一个旁观者说，"还想过来平静地看看自己的杰作，我看准没错，不想找个伴陪着。"

人群分开一条路，警长走过来，装模作样地拉着波特的胳膊。可怜的家伙，面色憔悴，目光中流露出恐惧。他站到被害人跟前，浑身战栗，活像个半身不遂的病人，然后双手捂住脸，放声大哭。

"这不是我干的，朋友们，"他抽泣道，"我以自己的名誉发誓，绝对不是我干的。"

"谁说是你干的？"一个声音喊道。

这句话似乎让他清醒过来。波特抬起头，望着周围，眼睛里露出令人怜悯的绝望。他看见了印第安·乔伊，大声嚷道：

"啊，印第安·乔伊，你向我保证过，绝不……"

"这是不是你的刀？"警长把刀扔到他跟前。

波特差一点轰然倒在地上，人们赶忙扶住他，让他慢慢坐下。然后他说：

"我就觉得，假如不回来把它拿走……"他战栗着说，然后有气无力地挥挥手，打了个失败的手势，说："告诉他们，乔伊，告诉他们吧，没用了。"

哈克贝利和汤姆站在那里，目瞪口呆地听着那个铁石心肠的骗子平静地撒谎。他们以为，晴空中随时会打个霹雳，上帝之火会落在他的头上，心里不明白为什么老天爷的打击姗姗来迟。他说完后，仍然活着，而且一根毫毛也没受损。两个孩子渴望拯救那个冤枉的囚徒，浪涌般的冲动几乎让他们将发的誓言忘到脑后。

但是,随着那番谎言的结束,孩子们的冲动也渐渐淡下来,最后消失了。因为,这个邪恶的家伙显然已经把自己的灵魂出卖给了魔鬼,要干预那种力量是致命的。

"你干吗不逃走? 你上这儿来想干什么?"有人问道。

"我不由自主……我不由自主,"波特呻吟道,"我想逃走来着,可我不知道该上什么地方,不由自主到这儿来了。"他继续哭泣。

几分钟后,验尸开始,印第安·乔伊再次重复自己的说法,他态度平静,而且还发了誓。两个男孩见闪电仍然不来,便确信乔伊已经将自己的灵魂卖给了魔鬼。现在,他成了他们从来没见过的恶毒人物,两人的眼睛盯着他不放。

他们内心深处做出决定,要找机会,在夜晚注意他,希望瞧瞧他那可怕的魔鬼主人是什么模样。

印第安·乔伊帮着把被害人的尸体抬上车运走。战栗的人群低声说,受伤的地方流血不多! 两个男孩想,这个不错的迹象应该将怀疑转到正确的方向,然而,他们失望了。不止一个人评论道:

"穆夫·波特是在三英尺开外干的。"

汤姆心中可怕的秘密和良心的痛苦折磨着他,这之后,足有一个星期睡不好觉。一天,在吃早饭的时候,锡德说:

"汤姆,你总是大声说梦话,常常把我吵醒。"

汤姆的脸变得苍白,垂下了眼睛。

"这可不是好现象,"波利姨妈一本正经地说,"汤姆,你有什么心事?"

"没什么。我不知道有什么事。"可他的手抖得厉害,把自己的咖啡都洒了。

"可你总是说那种事情,"锡德说,"昨晚,你说:'那是血,那是血,真的是血!'这话你说了一遍又一遍。你还说:'别折磨我了,我说出来!'说出什么? 你要说出什么?"

一切都像一出戏,一再出现在他眼前,不知道下一步还会发

· 65 ·

生什么事，幸而波利姨妈没特别在意，汤姆还算比较欣慰。她说：

"咻！是那场可怕的凶杀。我自己也每天晚上梦见那事。有时候，我梦见杀人凶手是我。"

玛丽说，她自己也受到同样的影响。锡德看上去对这些解释感到满意。汤姆尽快找了个合适的借口走开了。在这之后，他借口说牙疼，每晚都用绷带把下巴跟脑袋绑在一起。他根本不知道，锡德常常夜里留意他，把绷带脱下来，靠在他身旁，一连听他说很长时间的梦话，然后再把绷带弄到原来的位置。汤姆的苦恼逐渐减轻，牙疼也渐渐痊愈了。如果锡德真的从他不连贯的梦话中听到了什么，也自己藏在心底不说。

汤姆的同学以前从来不解剖死猫，可是，他们现在却频繁地这么干，一再揭他心头的伤疤。锡德留意到，汤姆在这种时候从来不动手，可他以前总是习惯在这种新娱乐方式上带头的。锡德还注意到，汤姆从来不旁观——这也十分奇怪。锡德也没有忽视一种现象，那就是汤姆甚至对这类好奇的活动明显表示出厌恶，尽量避开。锡德感到惊异，可什么也没说。不过，这种时尚终于不再流行，汤姆的良心也不再受到折磨。

每隔一两天，在这种悲哀的时候，汤姆找到机会，就去那个小铁栅栏窗跟前，给"杀人犯"送去些能让他感到安慰的东西。监狱在镇子边缘，是个砖砌的小屋子，没有卫兵把守。平常，监狱难得关人。向犯人送点他能弄到的东西，汤姆的良心才感到点安慰。

镇子上的居民渴望给印第安·乔伊上私刑，往他身上涂上沥青沾上羽毛，把他碾死在路上，因为他是个盗墓窃尸贼。虽然他是个可恶的家伙，但是大家找不到一个愿意在这种事情上领头的，也就把这事搁置了。他的证词十分谨慎，只说出搏斗的过程，却并不暴露在这之前的掘墓盗尸行为。因此，大家认为，目前最明智的，是等待法庭审理这个案子。

# 第 十 二 章

汤姆的心境渐渐从秘密的烦恼转移开来,一个重要的因素是他有了一个重要的新兴趣点。贝基·撒切尔不来上学了。起初,汤姆跟自己的自尊心做了一番斗争,想要"听其自然",但是,他没能挺住。结果,到了晚上,他不由自主地在她家的房子外面游荡,心里觉得非常难受。她生了病。要是她死了可怎么办?想到这事,他就心烦意乱。他对战争不感兴趣,甚至对海盗也失去了激情。生活的动力不复存在,除了凄凉什么也没了。他不玩铁环,不玩棒球,这些东西再也不能给他乐趣了。他姨妈替他担心。她开始想方设法治他的病。她属于那种迷恋新奇药品的人,对所有缔造健康维护健康的方法都很着迷。她是个对这类事物有瘾的试验者。一旦这方面有什么新发明,她总是立刻热衷于一试锋芒。当然不是在自己身上试验,因为她从来不生病,而是逮着谁让谁试。她订阅那些所谓健康杂志,阅读骨相学之类骗术。那种人鼓吹的无知,就是她鼻孔里的气息。那种破烂货色无非说说屋子如何通风,如何上床睡觉,如何起床,如何吃东西喝水,该搞多少锻炼,怎样保持心境,该穿什么衣服等等。她把这一切奉为真理,并不留意本期杂志的内容彻底推翻了上一期的建议。她是个思想简单心地诚实的女人,很容易成为宣传的牺牲品。她收拾好自己的庸医杂志和庸医卖的假药,跨上自己病快快的马,到处行医。毫不夸张地说,死亡和地狱与她结伴同行。不过,她从不怀疑自己并非治病天使,对病痛的邻居,她无非是卖狗皮膏药的改头换面而已。

此时,水疗法正盛行,汤姆情绪低落对她不啻是个福音。于是,她每天破晓就要他起床,让他站在木棚里,劈头浇下大量冷水,然后用一张硬得像锉刀一样的毛巾给他搓擦全身,以便恢复他的常态,接着,她用一张湿床单把他裹住,盖了张毛毯,直到他的汗水将灵魂洗干净。照汤姆说,"他的毛孔里流出黄色的污渍"。

尽管受到如此彻底的治疗,可这孩子面色变得更苍白,神情更加忧郁沮丧了。她便为他增加了热浴,坐浴,淋浴,浸浴。孩子仍旧像灵车一样阴郁。她又给他的洗澡水里加了稀燕麦和石膏,还根据他的体重灌他喝包治百病的汤药。

汤姆这时变得对一切折磨都无所谓了。老女人见状惊慌失措。这种冷漠状态必须打破,而且要不惜一切代价。这时,她头一次听说止疼药。她立刻一次定了大量这种药,自己品尝了一下,马上心满意足。那是一种火辣辣的药水。她放弃了水疗以及各种其他疗法,专心致志于止疼药。她让汤姆喝了一勺,然后急切地注意其结果。她立刻感到安心,灵魂也平静了,因为他的"冷漠"已经被打破。就是把孩子放在火盆上烤,他也不会表现得更加疯狂开心。

汤姆认为,现在该清醒了。虽然他的精神状态萎靡不振,可是生活本来应该浪漫才对,只是生活中的情趣太少,让人发狂的变化太多。于是他想出各种计划让自己得到安慰。最后,他突然想到,可以声称喜欢止疼药。他常常要求这种东西,到后来,他这种要求变得让人厌烦了。姨妈最后告诉他说,自己动手,别烦她。假如换了锡德,她会真正感到喜悦。但这是汤姆,她便悄悄留意药瓶。她发现药的确在减少,但是她没想到,这孩子是用这药治疗客厅地板的一个裂缝。

一天,汤姆正在喂那个裂缝喝药,他姨妈的一只黄猫走来,喵喵叫着,望着那只勺子,眼神里流露出贪馋,乞求喝一点。汤姆说:"彼得,不想喝就别要。"

彼得表示它真的想喝。

"你最好打定主意。"

彼得打定了主意。

"这可是你自己要的。我给你喝,并不是我要害你,要是你喝了不喜欢,千万不能怪别人,只能怪你自己。"

彼得表示同意。汤姆便撬开它的嘴巴,将止疼药灌下去。彼得一步跳起两码高,嘴里发出一阵进攻的叫嚣,在屋子里狂奔,跑了一圈又一圈,撞在家具上,撞翻花盆,把屋子里搞得一派狼藉。接下来,它用两条后腿站立,仿佛表示狂喜,还缩着脖子呜呜叫,当然是宣布自己无法压抑的幸福。然后,它开始在屋子里到处撕扯打砸,凡是经过的地方全都混乱不堪。波利姨妈进来的时候,正好看见它推倒两个花盆,发出一声怪叫,从敞开的窗户逃了出去,顺便还把其余的花盆带到地上。老女人从眼镜上方望出来,惊呆了。汤姆躺在地上放声大笑。

"汤姆,猫犯了什么病?"

"我不知道,姨妈。"孩子上气不接下气地回答。

"我从来没见它这样。什么让它发了疯?"

"我真不知道,波利姨妈。猫儿们一高兴就这样。"

"是吗?"这话的腔调让汤姆有点惴惴不安。

"是。反正我相信是这样。"

"你相信?"

"对。"

老女人弯下腰,汤姆好奇又着急地望着她。他发现她的意图已经太迟。床罩下露出了勺子把。波利姨妈抓住勺子,举起来。汤姆畏缩着垂下眼皮。波利姨妈揪起他,抓的位置是通常那个把柄——耳朵,用手指上的顶针响亮地砸他的脑袋。

"先生,你干吗要害那只可怜的猫?"

"我是为了可怜它,因为它没有姨妈。"

"没有姨妈!你这个坏蛋。这事与它又什么关系?"

"关系大了。要是它有姨妈,它姨妈就会自己动手烧它!她就会把它的肠子烫个半熟,让它也尝尝人感觉到的滋味!"

波利姨妈忽然良心不安,感到一阵揪心的痛苦。这是一种看事物的新角度,对猫儿残忍的东西,对一个孩子也一样残忍。她的态度开始软化,她感到难过,眼睛稍稍有点湿润,把手搭在汤姆头上,温和地说:

"汤姆,我完全是一片好心。再说,它对你的确有好处。"

汤姆抬起头望着她的脸,稍稍挤了下眼睛。

"我知道你是一片好心,姨妈,我对彼得也是一样,而且对它也的确有好处。我从来没见它这么疯狂过,自从……"

"噢,走开吧,汤姆,别再惹我烦了。以后要做个好孩子。你用不着再服药了。"

汤姆提前到校。大家注意到,这种奇怪现象最近天天发生。他最近这一向不跟同伴们玩耍,独自在校门口徘徊。今天也是这样。他说,他病了。看上去他真的有病。他做出到处观望的模样,可是,他真正注意的,是上学的道路。不久,杰夫·撒切尔出现了,汤姆的脸上放出喜悦的光彩,他盯着看了一阵,然后悲哀地扭过头去。杰夫来到学校,汤姆跟他打招呼,小心翼翼地把话题转向贝基,可是这个傻头呆脑的娃娃怎么也看不见他的钓饵。汤姆望啊望,每看到一个身穿裙子的身影,心里都充满了希望,等到看清来人并不是他盼望的那个,心里又充满了恼恨。最后,裙子不再出现了,他把希望倒进垃圾堆,走进空荡荡的教室,坐下来忍受苦难。后来,又一条裙子出现在大门口,汤姆的心狂跳起来。他腾身跃起,像个印第安人那样呼喊着,欢笑着,追逐男孩子们,冒着生命危险跳过栅栏和树枝,翻筋斗,拿大顶,想出各种英雄般的行为,同时不断地朝贝基·撒切尔瞅一眼,看她是不是在注意自己。可她看上去根本没有留意,根本就不朝这边看一眼。难道她有可能根本没发现自己在这里?他径直将自己的战斗行动扩展到她跟前,抢了个男孩的帽子大叫着跑过去,把帽子朝各个方向乱扔,抛向教室房顶,打散一群孩子,把他们横七竖八推倒在地,自己也倒在地上乱爬。这一切都是在贝基的鼻子底下干的,而且几乎把她也卷进来。她扬起脸转身走开。他听见她说:"哼!有些人认为自己挺了不起,总是卖弄!"

汤姆的脸颊发烫。他收敛起来,偷偷溜走,感到垂头丧气。

# 第 十 三 章

汤姆明白了自己的地位。他变得又阴郁又绝望。他说:我是个被抛弃的孩子,一个朋友也没有,谁也不喜欢我。等到他们终于明白是他们把我逼成这个样子,他们会后悔的。我努力过,想把一切都扭转过来,可是他们不让我做,因为他们只有把我赶走才会满意。那就让他们这么干吧。让他们为所有后果责备我吧。他们当然要责备我。这个没有朋友的孩子有什么权利抱怨?是啊,他们终于把我逼到了这一步:我要做个罪犯。除此之外,没有别的选择。

这时,他已经走到草场巷,上课的铃声远远传来。他呜咽起来,以后再也不会听到这个熟悉的声音了。这是非常难受的,可他是被逼这么做的。既然他被逼到这个冰冷的世界上,他必须服从。不过,他原谅他们。他的啜泣越来越沉重,越来越急促了。

这时,他遇见自己的盟誓伙伴乔伊·哈珀。只见他目光阴郁庄重,显然心里有个重大而阴沉的目标。显然,两个人有着一致的想法。汤姆用袖子擦了擦眼睛,嘟囔着说,自己打定主意了,要离开没有同情心、让人无法忍受的家,逃到广阔的世界去流浪,永远不回来了。末了还补充说,希望乔伊不要忘记自己。

结果,乔伊说,他到处寻找汤姆,就是为了提出同样的要求。他母亲因为他喝了一种以前从来没尝过的奶油,就用鞭子抽打他。显然,她讨厌死他了,希望他走。既然她有这种想法,他没有别的办法,只有屈从。他希望她会为此感到高兴,永远不会因为把儿子赶到冷酷的世界上受难送命而后悔。

两个孩子一路走去,心里怀着悲伤。他们结成了同盟,发誓要像兄弟一样,永远不分离,直到死亡解除他们的烦恼为止。然后,他们开始制定计划。乔伊本来要当个隐士,找个遥远的山洞,靠吃面包为生，最后在饥寒交迫和悲哀中死去。不过，听了汤姆的计划后，他承认，做个江洋大盗有着明显的优越性，于是同意当海盗。

圣彼得斯堡下游三英里的地方，密西西比河有一英里多宽，河心有座长满树木的狭长河心洲，一头有个浅浅的沙洲，这是个很好的地点，上面没有人住。它离对岸很远，附近是人迹罕至的浓密树林。这个地方叫杰克森岛。于是，他们选定了这地方。他们没想过，做了海盗该抢什么人。他们找到哈克贝利·费恩，他立刻加入进来，任何职业对他都一样，反正他什么都不在乎。他们很快便分手了，约定在镇子上游两英里处会合，至于时间，他们选定最有利的时刻——午夜。那儿有个小木筏，他们打算偷了走。每个人要带钓鱼钩和钓鱼线，这种装备他们要以最神秘的方式偷到手，就像罪犯们那样干。下午尚未消逝，他们已经成功享受到一种甜蜜的荣耀了，他们散布出流言，说是镇子上很快就能听到某种消息。听到这种朦胧暗示的人得到警告说，要"保持沉默，静静等待"。

午夜时分，汤姆到了，他带着一根煮火腿和几件杂物。他登上能俯视会合地点的小崖，藏身在浓密的树丛中。天上布满星星，周围静极了。大河静静的，就像沉稳的海洋。汤姆倾听了片刻，没有声音打破静谧。他打了个口哨，声音清晰低沉。崖下传来回答。汤姆又打了两声口哨，回答的信号相同。然后，一个警惕的声音问道：

"那是谁？"

"汤姆·索亚，西班牙大帆船的黑色复仇者。报上你的姓名。"

"血染双手的哈克·费恩，还有海上凶神乔伊·哈珀。"这些头衔都是汤姆拟定的，均来自他喜欢的故事书。

"暗号？"

沉寂的夜色中，两个沙哑的低声同时说出个可怕的字眼：

"血！"

然后,汤姆把火腿抛下崖,自己也跟着滚下去,皮肤和衣服都撕破了。河岸那边有条比较平缓的小径,但是,走那条路既缺乏刺激,又不困难,还不能冒险,根本不是海盗的风格。

　　海上凶神带来整整一扇熏猪肉,把肉弄到这儿来已经把他累垮了。血染双手的费恩偷来一个长柄平底锅、大量烤得半熟的烟草,还有几根玉米棒子芯,可以用来制作烟斗。不过,除了他自己,几位海盗都不抽烟,也不嚼烟草。西班牙帆船的黑色复仇者说,作为开端,不点堆火可不成。这是个明智的想法,可是大白天的时候,谁也没想到火柴。他们看见上游一百码处的一个木筏上燃着一堆火炭,就鬼鬼祟祟摸上去,偷了一块过来。这是一次了不起的冒险,他们不时警告说:"嘘!"猛然间,将手指贴在嘴唇上,手滑到想象中的刀柄上,压低声音下命令说,假如"敌人"动弹,就让匕首深深插进他的胸膛,只让刀把露在外面,因为要"杀人灭口"。他们很清楚,木筏上的人全在镇子上,不是买东西,就是在寻欢作乐。不过这并不能成为他们办事不认真的借口。

　　他们把木筏推离岸边,汤姆指挥,哈克划后桨,乔伊划前桨。汤姆交叉双臂,紧锁双眉,站在木筏中部发号施令,声音低沉严厉:

　　"逆风航行,船头迎风!"

　　"是,遵令,长官!"

　　"稳住舵,稳……住!"

　　"是,舵稳住,长官!"

　　"差度①1!"

　　"1差度,长官!"

　　孩子们将木筏划向中流,一切单调而稳定,那些命令显然纯属"形式",并没有其他特殊含义。

　　"船上有什么帆?"

　　"主帆和三角帆,长官。"

---

　　① 差度:航海术语。1个差度为11.25度。——译注

"扬起大帆！全部张开，你们六个人……上前桅！动作要快！"

"是，长官！"

"展开大桅！拉开船帆和支柱！伙计们，快！"

"是，长官！"

"稳住舵，靠近码头！准备行动！码头，码头！伙计们，坚持住！稳住舵！"

"舵稳住，长官！"

木筏到了河中心，孩子们将筏子的方向调整好，稳住桨。河上浪很小，流速只有两三英里。在这之后四十多分钟，大家几乎没开口。这时，木筏经过远处的镇子。几个摇曳的灯光显出镇子的位置，镇子上的人在平静的睡梦中，根本没有察觉到，在反射出星光的河面上，正发生一桩非常事件。黑色复仇者仍然双臂交叉站在木筏中央，朝他昔日的欢乐和最近的苦难"投去最后一眼"，心里希望"她"能瞻仰他现在的雄姿——在狂暴的海上乘风破浪，面对危险和死亡无所畏惧，走向厄运嘴角仍挂着一丝冷笑。在他的想像中，杰克森岛从镇子的视野中消失了，所以他"投去最后一眼"时，怀着破碎而满意的心情。其他海盗们也朝镇子投去最后一眼。大家看的时间长了点，几乎被河水送到小岛以外的地方。幸亏他们及时发现了危险，连忙掉转方向。大约凌晨两点钟，木筏在小岛上游两百码的小洲上靠岸。他们涉水往返多次，将货物运上岸。小筏子上的财产中，有张旧船帆，他们把帆支在一片隐蔽的树丛中，充当帐篷，遮盖起自己的食物和必需品，而他们自己，在好天气中宁愿睡在露天，因为罪犯们都是这样。

他们在树林里找到一个洼地，大约相当于二三十级台阶下面。靠着一根巨大的树干生了堆火，用平底锅加热熏肉作晚餐，同时将带来的玉米饼吃掉一半。在没人探索过的荒岛上，丛林中，旷野上自由自在地饮宴，实在是桩极其美妙的享受。这儿远离人迹。他们表示，永远也不返回人类文明。升腾的火焰照亮了他们的面庞，给他们的丛林殿堂投去宝石般的红色光芒，也照亮了闪烁出光泽的树叶和飞光流彩的藤萝。

最后一片香脆的熏肉吃光了,最后一点玉米饼吞下了肚,孩子们在草地上伸展开身子,感到心满意足。他们可以找到更加凉爽的地方,但是,他们不愿离开篝火野餐的浪漫景致。

"真美,不是吗?"乔伊说。

"棒极了!"汤姆说,"要是其他男孩见了,会怎么说呢?"

"说?嗨,他们想来得要命呢。你说呢,哈克!"

"我敢打赌,是这样的,"哈克贝利说,"不管咋说,反正挺适合我的。没有比这更好的啦。平常,我总是吃不饱,可是在这儿。他们不能来说三道四,欺负人。"

"我想要的就是这种生活,"汤姆说,"早上用不着早起床,用不着上学,用不着洗脸,省得干那么多倒霉的傻事。乔伊,你知道,海盗上了岸什么都用不着干,可是隐士就得花很多时间祷告,而且什么乐趣也没有,只有孤零零一个人。"

"不错,是这样的,"乔伊说,"你看,我原来没多想,现在尝试过了,宁愿当个海盗。"

"你知道,"汤姆说,"现在,隐士不像以前那么体面了,可是海盗总是受人尊敬的。一个隐士得睡在难受的地方,脑袋上套个麻袋,撒上灰,遇上下雨还得淋雨,再说……"

"他脑袋上套麻袋撒灰干吗?"哈克问道。

"我也不知道。可他们不得不这么干。隐士都那样。你当了隐士也得守规矩。"

"我才不呢,"哈克说。

"那你想怎么办?"

"我不知道。可我就不守那种规矩。"

"唉,哈克,你不得不那么干,哪能避免呢?"

"嗨,我可受不了。我宁愿逃走。"

"逃走!那你就不是个正经隐士,会因此丢人的。"

血染双手没有回答,因为他忙着做更有趣的事情。他刚才在一个玉米芯上挖了个孔,此时在上面插了个草茎,装上烟草,正用一块烧红的木片点烟,接着便喷出一团喷香的烟雾,觉得极为心满意足。另外两位海盗嫉妒他这种堂皇的嗜好,心里暗暗打定主意,要尽快学会。

哈克说:"海盗需要做些什么?"

汤姆说:"啊。他们只需要享受时光——夺取船只,焚烧船只,抢走钱,在他们的岛屿上找个可怕的地方埋起来,这种地方有鬼魂之类的东西在守护,他们要杀掉船上的每一个人,从船上扔到大海里。"

"还要把妇女们带到岛上,"乔伊说,"他们不杀妇女。"

"对,"汤姆表示赞成,"他们不杀妇女,因为他们是非常高尚的人。再说女人都是非常漂亮的。"

"难道他们不穿最漂亮的衣裳? 啊! 上面缀满了金银和钻石,"乔伊兴致勃勃地说。

"谁?"哈克问。

"当然是海盗啦。"

哈克看了看自己身上的衣裳,满脸的悲哀。

"我敢打赌,我这衣裳不适于当海盗,"他说,声音里带着难过和伤感,"再说,我除了这再没有别的衣裳了。"

另外两个孩子对他说,好衣裳马上就会有的,只要他们开始冒险就行了。他们还说,开始的时候,他的破衣裳也能凑合,不过,有钱的海盗一开始就有自己体面的衣柜。

渐渐地,他们的交谈停止了,瞌睡爬上流浪者们的眼皮。血染双手的烟斗也从手指间滑落下去,他睡得非常香甜坦然。海上凶神和西班牙帆船的黑色复仇者有点难以入睡。既然没有人在身旁逼他们跪下大声朗诵,他们便在内心中默默做了睡前祈祷,然后躺下。说实话,他们并不想祈祷,可还是害怕走得太远,惟恐招致天庭盛怒,降下要命的雷电。瞌睡渐渐袭上来。就在他们到了睡眠的边缘时,来了个让他们无法入睡的不速之客——他们的良心。

他们开始感到一阵朦胧的恐惧,恐怕自己离家出走是错误的。接着,他们又想到偷来的肉食,于是真正的折磨来临了。他们在内心中设法驱散这种想法,跟良心分辩说,以前偷糖果苹果的事情有过不下几十次。可是良心并不认同这种似是而非的借口。最后,他们认识到,这两种行为有着明显的区别,偷吃糖果仅仅是"小偷小摸",而拿走火腿和整扇熏肉这类有价值的东西完全是偷盗,《圣经》中对此有着明确的界定。于是,他们暗下决心,今后既然作海盗,就不能用偷盗这类行为玷污海盗的名声。良心这才同意休战,这些心情矛盾的海盗们这才平静地进入梦乡。

# 第十四章

汤姆早上醒来,弄不明白自己是在什么地方。他坐起身,揉了揉眼睛,朝四周望去。然后他清楚了。这是个凉爽的黎明,空蒙的树林中弥漫着甜美的静谧。没有一片树叶在动,没有一丝声响打破大自然的沉思。树叶和草叶上挂着晶莹的露珠。火堆上盖着一层白白的灰烬,一缕淡淡的青烟直直地升上天空。乔伊和哈克仍然在酣睡。

这时,树林远处有一只鸟叫了,另一只鸟叫着附和。不久,啄木鸟敲打树木的声音响起来。渐渐地,随着声音越来越丰富,生活的气息出现了,朦胧凉爽的晨霭也变白了。神奇的大自然抖去睡意,开始劳作,将自己展现在这个沉思的男孩面前。一只绿色的小虫爬过一片浸着露水的叶子,不时抬起大半个身子,嗅一嗅周围,然后接着向前爬。汤姆说,它这是在测量。等到虫子自己爬近他了,他坐着一动不动,像尊石像一样。那虫子时而朝他爬来,时而仿佛要改变方向,他的希望也随之升降。小虫抬起前半个身子,考虑了一段时间,汤姆觉得这对他是个痛苦的煎熬。最后,小虫做出了决定,从他腿上爬过,开始了纵贯他身体的漫长旅行,他的心于是变得非常兴奋,他毫不怀疑,这意味着,他将要有一身华丽的海盗制服了。后来,一队蚂蚁不知从什么地方出现了,开始四处奔波。一只蚂蚁找到个足有它自己身体五倍大的死蜘蛛,开始奋力拖着它往树干上爬,一只身上有棕色斑点的花大姐朝一个高得令它目眩的草叶上爬去,汤姆弯下身子对着它,念了个儿歌:

花大姐,花大姐,
飞回家,你家着了火,快去救娃娃。

花大姐便展开翅膀飞走,去看看发生了什么事情——孩子对此并不感到奇怪,他早就知道,这种虫子容易轻信失火的谣言,而且他已经不止一次捉弄过它们的单纯思维了。接着出现的是一只屎壳郎,它有力地推着它的粪球。汤姆碰了它一下,想看看它如何缩起六条腿装死。到了这时候,鸟类已经开始喧嚣。一只北方的猫声鸟惯于摹仿,这时栖在汤姆头上方的树枝,欢天喜地地唧啾着摹仿邻近的鸟叫。一只鸟儿尖声叫着俯冲下来,活像一片蓝色的火焰,停在旁边一根树枝上,几乎在汤姆的攻击范围之内。它朝侧面探出脑袋,瞅着这个陌生人,感到强烈的好奇。一只灰色的小松鼠和一个狐狸一样的大家伙急匆匆跑来,不时用两条后腿站起来观察,还冲着孩子们叽叽喳喳叫一阵。这些野生动物恐怕从来没有见过人,也不知道是不是应该害怕。大自然整个苏醒过来了。阳光从远远近近的浓密树叶间泻到地上,像一支支长矛,几只蝴蝶拍打着翅膀飞来。

汤姆唤醒另外两位海盗,他们大声欢笑着爬起身,片刻之后就剥掉衣服,在白沙坝清澈的浅水滩中追逐、嬉戏。他们并不怀念茫茫河水之外那个沉睡的村庄。他们的木筏已经被悄悄升起的河水带走了,这更让他们感到满意,因为木筏一去,就像烧断了他们与文明之间的桥梁。

他们回到营地,感到心情舒畅,神清气爽,饿得要命,很快便重新生起了篝火。哈克在附近找到一眼清冽的泉水，孩子们用宽阔的橡树叶或者胡桃树叶卷成杯子，觉得这种水带着野生植物淡淡的芳香，完全可与咖啡媲美。乔伊给大家切熏肉做早餐，汤姆和哈克要他等一等。他们俩在河岸的一个小湾找到有利位置，抛下钓丝，几乎立刻便得到了回报。乔伊还没来得及感到不耐烦，他们俩就回来了，带回一条挺大的鲈鱼，两条河鲈和一条小鲇鱼——足够一个大家庭饱餐一顿了。他们把鱼跟熏肉一道煎来吃，感到大为吃惊，因为他们从来没想到，鱼的味道竟然这么美。他们并不了解，淡水鱼捕捞后，越早下锅，味道就越鲜美。他们当然也没有考虑过，露营、野外活动、游泳外加饥饿，这些都让他们胃口大开。

早饭后，他们在树阴里躺下，哈克抽了会儿烟。然后他们出发，穿越树林去探险。孩子们欢快地越过腐朽的树干，穿过交织的低矮树丛，跋涉在帝王般庄严高大的树木之间。树冠上垂下的葡萄藤仿佛王权的徽记，林间空地上的草坪像地毯，点缀其间的花朵如镶嵌的珠宝。

他们找到许多让他们高兴的东西，不过并没有什么能让他们感到吃惊。他们发现，这座沙洲长三英里，宽四分之一英里，最近的河岸距离沙洲仅不足二百码。他们差不多每小时都要下水游泳，回到营地已经半下午了。这时，大家都饿得顾不上耐心钓鱼，就狼吞虎咽嚼了一顿冷火腿，饭后倒在树阴下聊天。交谈很快就没了话题，沉默下来。树林中沉浸着寂静和庄严，弥漫着孤独的感觉，孩子们渐渐感到了压抑。他们陷入沉思。一种莫名的渴望袭上心头。朦胧间，一种感觉逐渐成型——他们开始想家了。不过，每个孩子都为自己的弱点感到羞耻，谁也不好意思把自己的想法讲出来。

有一阵子，孩子们注意到远处一种朦胧而奇怪的声音，仿佛人们注意到时钟并不清晰的嘀嗒声。不过，此时，那奇怪的声音变得越来越响亮，让他们无法回避。孩子们吃了一惊，对视一下，然后屏息细听。连续而漫长的沉寂之后，一个阴郁沉闷的轰隆声从远处飘来。

"那是什么?"乔伊压低声音问。

"我也不知道。"汤姆低声回答。

"不是打雷,"哈克贝利的声音带着敬畏,"因为打雷的时候……"

"哈克!"汤姆说,"听……别说话。"

他们等待着,似乎很长时间过去了,然后同样一个低沉模糊的轰隆声扰动了肃穆的寂静。

"咱们去看看。"

他们跳起身,匆匆奔向面对镇子的岸边。他们拨开岸上的树丛,隔着河面窥视着对岸。一条蒸汽小渡船在镇子下游大约一英里的地方随波逐流。甲板上看上去挤满了人。另外,河面上还有许多小船在蒸汽船周围。孩子们无法确定船上的人们在做什么。渡船侧面升起一团白烟,升腾起来,在空中缓缓飘散,然后再次传来一声沉闷的轰鸣。

"我知道了!"汤姆说,"有人淹死了!"

"对!"哈克说,"去年夏天比尔·特纳淹死的时候,他们就是这么干的。人们对着河面放炮,说是能把尸体轰上水面。对了,人们还往面包里夹上水银,扔到水里,面包漂啊漂,漂到人淹死的地方,就会停住。"

"不错,我也听说过这种事,"乔伊说,"可我不知道,面包怎么会那样。"

"嗨,根本不是面包的本事,"汤姆说,"我敢打赌,完全是人们念咒语的作用。他们把面包扔出去,面包就停在死人上面。"

"可人们不是这么说的,"哈克说,"我见过的,他们不念咒语。"

"哎哟,那可就怪了,"汤姆说,"大概他们是心里默默念叨吧。当然是这样的,这谁不知道。"

另外两个孩子都认为,汤姆说的有道理,因为一个毫无知觉的面包,要不是受了咒语的指挥,根本不可能变得那么聪明,去完成如此庄严的使命。

"老天在上，要是我能在那儿就好了。"乔伊说。

"我也想去，"哈克说，"真想知道是谁出了事。"

孩子们继续一边倾听，一边注视。突然间，汤姆脑子里闪过一个念头，他嚷道：

"伙计们，我知道淹死的是谁了——是我们！"

他们立刻感到自己像英雄一样光荣。这是一种辉煌的胜利：有人在想念他们；有人在悼念他们；有人为他们心碎；有人为他们流泪；回想起以前对这些可怜孩子们的无情，人们心中充满徒然的悔恨与自责。最妙不过的，是死去的孩子成了整个镇子上的谈话中心，他们的狼藉名声也成了男孩子们羡慕的核心。这真好。总之，当海盗太值了。

临近黄昏时分，渡船返回去从事自己的日常活动，小船也散开消失了。海盗们返回自己的营地。他们为自己制造的辉煌乱子以及得到的新荣耀而喜气洋洋。他们钓鱼，做晚饭，吃饭，然后开始猜测镇子上的人们怎么想，怎么谈论他们。从他们的角度看，能引起公众如此的痛苦，实在是桩再满意不过的事。不过，夜色笼罩住他们后，他们渐渐停止交谈，围坐在篝火边，眼睛望着火苗，心神显然已经不在此地了。激动情绪已经过去，汤姆和乔伊不禁想起了家人，家人们可不欣赏他们现在的乐趣。担忧涌上心头，他们渐渐开始难过，感到苦恼，不由自主便发出一两声叹息。渐渐地，乔伊壮着胆子委婉地试探，看看另外两位对返回文明有什么意见——并不是现在就走，不过……

汤姆报以嘲弄！哈克的立场尚不明确，就附和了汤姆。踌躇不定的乔伊连忙"解释"，尽量洗刷掉自己胆怯想家的名声。叛变一时被有效地镇压下去。夜渐渐深了，哈克开始打瞌睡，不久变成了鼾声。接着是乔伊。汤姆用胳膊肘支着身子，一动不动地观望着两个孩子。最后，他小心翼翼爬起身，借着篝火，在草丛间寻找。他拣到几个半圆形桦树皮，查看了一下，挑了两个，跪在篝火边，在树皮上艰难地写了几个字。他把一个树皮装进自己的衣服口袋，他把乔伊的帽子摘下来，放在离他比较远的地方，将另外一个树皮放在帽壳里。他还把学生们视作无价珍宝的东西放在他的帽子里，其中有一块石膏，一只印度皮球，三个钓鱼钩，一个特别的玻璃球，据称，是"百分之百水晶"。然后，他踮着脚尖轻声从树木间走去，直到他认为已经超出了他们的听觉范围，这才开始敏捷地朝着沙洲方向奔跑。

# 第 十 五 章

几分钟后，汤姆来到沙洲的浅滩，朝伊利诺州河岸涉水走去。水淹到他腰际时，他已经涉过支流的一半，水流越来越急，涉水已经不可能了，他两脚一蹬，浮上水面，信心十足地打算游过剩余一百码距离。他的方向偏向上游四分之一，可还是漂离了预定位置。不过，他最后抵达了河岸，顺流漂了一段，找到个浅滩上了岸。他浑身水淋淋的，摸了摸口袋，发现那块树皮仍然在里面，就穿过河岸上的树林走去。快到十点钟的时候，他来到镇子对面的开阔地，看到渡船此时掩映在树木和高岸的阴影中。闪烁的星星下，一切是那样的寂静。他从河岸上爬下来，眼睛警惕地望着周围的一切，溜进河水中，游了三四下，爬上一只拉在渡船船尾的小艇。他趴在小船的横梁下一动不动，心在狂跳。

不久，渡船上的破钟敲响了，有人下令启航。一两分钟后，小艇的船头在渡船激起的涌浪上高高翘起，航行开始了。汤姆为自己的成功感到高兴，他知道这是今晚最后一班渡船。漫长的十二到十五分钟后，明轮停转，汤姆在暮色中溜下水，游向岸边，在下游十五码处上了岸，避开可能遇到的流浪汉。

他匆匆溜过没有人迹的小巷，不久便来到姨妈家后篱笆旁。他翻过篱笆墙，靠近房子，见起居室窗户里亮着灯，便朝里面望去。

波利姨妈、锡德、玛丽、乔伊·哈珀的母亲正围坐在里面交谈。他们在床榻那边,床榻这边是门子。汤姆来到门外,轻轻拉开门闩,慢慢推门,门子发出一个嘎吱声,他继续小心翼翼地推门,直到他认为能膝盖着地爬进去了,便谨慎地往屋里爬。

"什么把蜡烛吹得乱飘?"波利姨妈问。汤姆匆匆爬过去。"我看那扇门准是开了。当然是开的。现在的怪事真是太多了。锡德,去把门关上。"

汤姆刚好有时间钻到床榻底下。他躲在下面压低声音喘息了一阵子,趴的地方几乎能碰到姨妈的脚。

"不过,我过去就是这么说的,"波利姨妈说,"他不是个坏孩子,也就是说,只是有点调皮,让人头疼,不如匹小马更驯服。可他的心地从来不坏,其实,没有比他心肠更好的孩子了。"她说着不禁哭出声。

"我的乔伊也是一样,调皮捣蛋得要命,在任何方面都有鬼点子,都要搞恶作剧。可他从来不自私,对人从来是一副好心肠。老天哪,我以为是他偷了奶油,就鞭打他一顿,却忘记那奶油已经馊了,是我自己扔掉的。我那可怜的冤枉孩子呀,我今生今世再也见不着他了! 永远永远见不着了!"哈珀太太抽泣得死去活来。

"我希望汤姆在他的新地方处境好些,"锡德说,"不过假如他原来好一点儿……"

"锡德!"汤姆都能感觉到老女人恶狠狠的目光了,"别说汤姆的一句坏话,他现在已经去了!上帝会照顾他的,用不着你来费心,先生!哦,哈珀太太,我不知道怎么才能丢下他!我真不知道怎么才能忘掉他!他把我这颗老心脏折磨得够呛,可他能带给我那么多的安慰。"

"上帝给予的上帝已经收回——愿主的名字受到祝福!可这是多么痛苦,多么痛苦哇!上个星期六,我的乔伊还在我鼻子底下放了个爆竹,我把他打得趴在地上。可我当时根本不知道,这么快,他就……噢,要是能回头重过日子,我会为那事搂住亲他。"

"说得对,说得对,我能体会到你的感情,哈珀太太,我完全能体会到你的感情。近在昨天中午,我的汤姆喂猫吃止疼药,我当时觉得,那畜牲要把整个房子都打个底朝天。上帝原谅我吧,我当时用顶针使劲打他的脑袋,我可怜的孩子,我那死去的可怜孩子哇。他现在用不着再受苦了。他最后对我说的话是责备……"

这段记忆让老女人受不了,她打住了话头。汤姆也觉得鼻子难受,主要是为自己而伤心。他听到玛丽在哭泣,还不时地替自己说两句好话。于是,他对自己的评价比以前高了许多。姨妈的悲伤让他非常感动,他真想从床底下钻出去,让她转悲为喜。戏剧性的场面强烈地诱惑着他,可他抵抗住诱惑,呆着没动。

他继续倾听。从只言片语中,他得到的印象是,人们起初认为两个孩子是在游泳时淹死的;后来,有一只小木筏失踪了;再以后,有的孩子带来消息,重复了失踪的孩子们留下的话,说是镇子上很快会听到"某些事情"。有头脑的人们综合分析后,认定孩子们坐了木筏漂流下去,应该到了下游的镇子上。到了中午,人们在下游五六英里外密苏里州的岸边找到了木筏,人们的希望这才破灭了。他们肯定淹死了,要不然,不到天黑,他们就该饿着肚子回家来。人们相信,打捞尸体根本没用,因为两个孩子水性都好,不会在浅滩上淹死,肯定是在河中游丢了性命。这事应该发生在星期三晚上。如果到了星期日还找不到尸体,他们就放弃所有希望,要在星期日上午举行葬礼。汤姆听了不禁战栗起来。

哈珀太太哭泣着道别,转身要离去。两个丧子的女人自然投入对方的怀抱,开怀痛哭一场,然后才分手。波利姨妈跟锡德和玛丽说晚安的时候,口气比平时温和。锡德抽了抽鼻子,玛丽哭得十分伤心。

波利姨妈跪下为汤姆祈祷,其状无比感人,态度无比真诚,溢于言辞之外的无限慈爱和颤抖的声音让他激动得不能自持,不等她说完,他早已再次泪涛汹涌。

他不得不长时间保持静止,直到她入睡后很久才敢行动。她辗转无眠,不时发出一声声肝胆欲裂的呼喊。最后,她静止了,只是在睡梦中轻轻呻吟。汤姆偷偷溜出来,缓缓在床前站起,捂住烛光,站在那里注视了她一阵。他的心里充满对她的同情。他把桦树皮掏出来,放在蜡烛旁边。他产生了一个念头,呆在那里思索片刻后,为自己的决定感到得意,脸上露出愉快的笑容。他又把桦树皮装进口袋,弯腰在姨妈苍白的嘴唇上亲吻一下,然后匆匆离去,将门闩闩上。

他孑然走回渡船码头,发现一个人影也看不到,就大胆登上甲板。他知道,船上除了一个守夜人之外,不会有别人。可是那个守夜人总是很晚才来,在船上睡着像死了一样。他解开船尾的小艇,爬上去,小心翼翼地朝上游划去。划到离镇子上游一英里远,他开始大胆地划船。船稳稳当当抵达了对岸,对他来说,这段航程已经非常熟悉了。他为捕获一条小艇激动不已,心里已经把它当作一艘大帆船,自然是海盗的目标。他知道,人们会进行彻底搜查,结果会揭露他们的秘密。于是,他上岸走进树林。

他坐下来休息了挺长时间,心里苦闷,又不敢睡着。夜晚即将结束。他走到沙洲附近时,天已经大亮了。他再次坐下休息,直到太阳给河水镀上一片华丽的金色。然后,他投身河水中。来到营地边缘,他停下脚步,听见乔伊在说:

"不,汤姆是条真正的好汉,哈克。他会回来的。他不会溜走。他知道,一个海盗偷偷溜走是丢人的。汤姆不可能干那种事。他准是去办什么事了。我不知道是什么事。"

"事情是大家的事情,对不对?"

"这上面写着,他就在附近,哈克。要是他早饭回不来,就有麻烦了。"

"可他回来了!"汤姆戏剧性地走到营地中央,举止十分堂皇。

他们不久便准备好了一顿丰盛的早餐,有熏肉,有鱼。孩子们吃饭的时候,汤姆讲述了自己的冒险经历,当然其中有添油加醋的成分。故事讲完后,大家便成了一伙自鸣得意、自吹自擂的英雄好汉了。汤姆躲在一个阴凉的地方一直睡到中午,另外两个海盗收拾好去钓鱼去探险。

# 第 十 六 章

　　晚饭后,他们一起出动,在沙洲上找乌龟蛋。他们在沙地上到处用棍子戳,找到松软的沙地,就跪在地上用手挖。有时候,从一个洞里能挖出五六十颗蛋。乌龟蛋圆溜溜的,比胡桃稍小一点儿。那天晚上,他们大吃了一顿炒蛋,星期五早上又饱餐一顿同样的美味。

　　早饭过后,他们在沙洲上又跳又闹,相互一圈圈追逐,一边跑一边脱衣服,最后浑身赤裸,冲进浅水滩继续嬉戏。水流很急,不时将他们冲倒在沙滩上,他们因此更加欢乐。他们不时围成一圈,相互向对方脸上溅水,渐渐捂着面孔向对方靠近,扭做一团。大家全都钻到水下,水面上只见几条白白的胳膊腿儿缠在一起。几张面孔又突然冒出水面,溅水,喷气,气喘吁吁,放声大笑。

　　孩子们累坏了,就舒展开四肢,躺在干燥温暖的沙子上,用沙子把自己埋起来。渐渐地,大家又想玩水,就把水中游戏重新玩一遍。他们认为,赤裸的身子可以代表肉色紧身衣,就在沙滩上拉起手组成一个圆圈,成了马戏团的圆舞台,三个孩子都是其中的小丑,因为他们谁都不愿意将这个自豪的角色拱手让给别人。

　　接着,他们掏出玻璃球,玩起了轮流弹玻璃球进洞游戏,直到大家全都厌倦了为止。乔伊和哈克又游了会儿泳。汤姆没跟他们冒险,因为他发现,两只脚又踢又蹬脱裤子的时候,自己那串响珠从脚脖子上弄丢了。他奇怪,没有这种神奇的符咒,长时间游泳竟然没有抽筋。他没敢再次冒险,后来找到了,这才放了心。到了这时候,另外两个男孩玩累了,爬上来休息。三个孩子逐渐散开,不知不觉陷入"糊涂"状态,出神地盯着河对岸,望着在强烈的阳光下沉睡的小镇。汤姆不由得用大脚趾在沙滩上写下"贝基"这个名字,他把字抹掉,心里为自己的懦弱感到愤怒。可是,不久他再次下意识地写下这个名字。他再次把字抹掉。为了防止受到诱惑,他跑开来,找到另外两个孩子。

可是,乔伊的情绪变得非常低沉,几乎没有办法提起他的兴致。他实在太想家了,简直无法忍受这种折磨。眼泪很快就要流出来。哈克也显得悲哀。汤姆心情沉重,不过尽量不让自己的心情表现出来。他有一个不愿讲出来的秘密,假如目前这场离经叛道的压抑气氛不能打破,他就不得不泄露这个秘密。他竭力表现出欢乐神色,说:

"我敢打赌,伙计们,这座岛上以前有过海盗。我们重新探索一遍。他们在某个地方藏了财宝。要是找到个腐朽的衣箱,里面全是金银,感觉如何,嗯?"

可是,这话没有激起多少兴趣,而且很快就消散了,没人接他的话茬子。汤姆提出另外一两个诱人的主意,结果全都没有效果。真是桩令人扫兴的事。乔伊坐在那里,用一根小棍在沙地上乱戳。最后他说道:

"我说,伙计们,咱们结束吧。我想回家。这儿太寂寞了。"

"噢,不,乔伊,慢慢你会觉得好点的,"汤姆说,"想想钓鱼吧,只有这儿才有好鱼。"

"我不喜欢钓鱼。我要回家。"

"可是,乔伊,哪儿有这么好的地方游泳啊?"

"游泳不好。连个说话的人都没有,我才不想游泳呢。我要回家。"

"哼!没出息的小乖乖!我看,你是想找你妈了吧。"

"不错,我就是想找我妈。要是你有妈,准会想她。你比我还没出息。"乔伊说着开始抽鼻子。

"那么,咱们放这个哭鼻子的小宝贝回家找妈妈吧,好吗,哈克?可怜的东西,想找妈妈了?那就去吧。哈克,你喜欢这儿的,对吧？咱们留下来,好吗?"

哈克说:"好……吧。"可他的声音里根本没有决心。

"我这辈子再也不理你了。"乔伊站起身。"说话算话!"他怒气
冲冲地走开,动手穿衣服。

"谁希罕你!"汤姆说,"没人请你理。回家去吧,让人笑话你
吧。噢,你是个乖宝贝海盗。哈克和我可不是哭鼻子的娃娃。我
们要呆在这儿,对不对,哈克?他要走就让他走。我看,没有他咱
们也能活得很好。"

其实,汤姆觉得挺难过,看到乔伊沉着脸穿好衣服离去,他慌
了。哈克看着乔伊收拾东西,眼睛里带着渴望,什么话也没说。乔
伊没有告辞就涉水朝伊利诺州的河岸走去。汤姆的心沉下去了。
他扫视一眼哈克。哈克受不了他的目光,垂下眼皮,然后说:

"汤姆,我也想走。这儿太孤单,乔伊走后,就更没意思了。咱
们也走吧,汤姆。"

"我不走!你要想走也可以走。我要留下。"

"汤姆,我最好也走。"

"那就走吧,没人不让你走。"

哈克开始收拾他扔在地上的衣服。他说:

"汤姆,我希望你也一块儿走。你先考虑考虑。我们到了岸上
等你。"

"那你们只能白等。"

哈克悲哀地走开,汤姆站在原地望着他,心里产生强烈的愿
望,想抛下自己的自尊心,一起回去。他希望两个孩子会停下脚
步,可他们头也不回,缓缓涉水。汤姆突然感到,自己在这里已经
非常孤单,这边也静得要命。他的自尊心做了最后一次搏斗,最
后,冲上去追赶小伙伴们,嘴里喊道:

"等等!我告诉你们一件事!"

他们停住脚步,扭回头。他赶上他们,把自己的秘密讲给他们
听。他们耐着性子听完他的话,终于明白了他的意思,一起喝彩

说,"真是太妙了!"两人都说,要是他早点告诉他们,他们就不至于这么走了。他花言巧语找了个借口,可他真正担心的是,即使公开了这个秘密,他们也不会跟他在这儿呆太长时间,所以直到这时才抛出来。

孩子们心甘情愿返回来,兴致勃勃地谈论汤姆的惊人计划,赞叹计划的天衣无缝。吃过美味的乌龟蛋和鱼,汤姆说,他现在想学着抽烟。乔伊也附和这个主意,说他也想试试。哈克就做了两个烟斗,给里面装上烟丝。两个新手以前倒是试过用葡萄藤卷的烟,可没有抽过真正的烟草,他们叼住烟斗,可怎么也不像个男子汉。

他们用胳膊肘支住身子,嘴里谨慎地喷出青烟,露出些许自豪感。烟有一种难闻的气味,呛得他们喘不上气来,可是汤姆口头上却说:

"嗨,这太容易了! 早知这样,很久以前就学会了。"

"我也是,"乔伊说,"这没什么。"

"有好多次,我看着人们抽烟,心里真想跟着干,可总是觉得自己不行。"汤姆说。

"我就这样,对不对,哈克? 这种话你听我说过多次,对不对,哈克? 哈克能证明,我说过。"

"对,说了许多次。"哈克说。

"嗯,我说了几百遍了,"汤姆说,"有一次是在肉铺。你不记得了,哈克? 鲍勃·坦纳当时在场,约翰尼·米勒和杰夫·撒切尔也在。你还记得我说这话吧,哈克?"

"没错,"哈克说,"就是那天,我丢了个白石头弹子。不,是在前一天丢的。"

"瞧,"汤姆说,"哈克想起来了。"

"我看,我能整天抽这烟斗,"乔伊说,"一点儿不觉得难受。"

"我也一样,"汤姆说,"我能整天抽个不停。可我打赌,杰夫·撒切尔准不行。"

"杰夫·撒切尔! 那还用说,他要是抽上两口,准得趴下。让他试试就知道了!"

"我敢打赌他肯定啥趴下。约翰尼·米勒也不行。我倒想看看约翰尼·米勒抽上一口。"

"我可不想看!"乔伊说,"我向你们保证,约翰尼·米勒干什么都没本事,别说抽烟了。抽上小小一口就能要了他的命。"

"这话没错,乔伊。我说,真想当着那帮家伙表演。"

"我也是。"

"我说伙计们,这事咱们先别对任何人说,找个机会,他们都在周围,我就走到你跟前,说:'乔伊,带着烟斗没有? 我想抽一口。'你呢,就用满不在乎的口吻,好像没什么大不了的,说:'我带着我的老烟斗,还有个备用的,就是烟草不太好。'我就说:'啊,没关系的,够劲就成。'然后你把两个烟斗全掏出来,咱们俩若无其事地点上烟,看他们怎么吃惊吧!"

"老天爷,那可太棒了,汤姆! 要是现在就能演这么一出就好了!"

"我也真想现在就干! 等到咱们告诉他们说,是在当海盗的时候学的,他们难道不希望自己也亲自来过?"

"啊,我敢打赌! 他们当然希望自己也当过海盗!"

他们就这么谈啊谈。不久,他们的兴致渐渐降低,谈起了不连贯的琐事。交谈之间的沉默越来越长,咳嗽吐痰越来越频繁。孩子们脸颊上的每一个毛孔都在冒汗,唾液大量涌出来,每咽一口就觉得反胃。两个孩子脸色变得刷白,难受得要命。乔伊的烟斗从有气无力的手指间跌落在地上。汤姆的也是一样。两个人的唾液像泉水一样涌出来,使劲唾个不停。乔伊虚弱地说:

"我的刀子丢了。我看最好把它找回来。"

汤姆嘴唇发抖,结结巴巴道:

"我帮你找。你走那条路,我到泉水那边去。不,哈克,你用不着来。我们能找到的。"

哈克坐下,等了一小时,觉得很孤独,就去找伙伴们。结果发现,他们俩在林子里相距很远的两处睡熟了,个个脸色苍白。不过,他看出,他们抽烟遇到的麻烦已经克服了。

那天晚上,吃晚饭的时候,他们没有饶舌,显得有点低三下四。吃过饭,哈克装自己的烟斗,然后准备给他们每人装一斗,他们都说不要,因为感觉不舒服,准是中午饭吃得不合适。

午夜时分,乔伊醒了,把另外两个孩子唤醒。空气死沉沉的,好像要发生什么事情。孩子们挤作一团。虽然天气炎热得令人窒息,可还是想燃起篝火壮壮胆。他们坐着一动不动。肃穆气氛在持续。火光之外的一切都被黑暗吞没了。一个光亮闪烁了一瞬,朦胧间照亮了树叶,然后消失了。接着,另一个闪烁出现了,这次更加明亮。接着又是一个闪烁。然后,低沉的轰隆声从林子的枝叶间传来。孩子们感觉到,脸颊上吹过一丝轻风,便想像到夜晚的幽灵,不禁打个寒战。停顿片刻后,一个可怕的闪亮将夜晚变成了白昼,脚边的每一片草叶顿时看得清清楚楚,同时也照亮了三张惊骇苍白的面孔。深沉的雷声从天上,从远处滚滚而来。一阵寒风刮过来,将树叶吹得瑟瑟直响,篝火中的灰烬像雪花一样散布开来。又是一个凶猛的闪电,整个树林被照亮了,顷刻间,雷声迸裂,仿佛要将孩子们脑袋上方的树梢劈断。强烈的轰隆声中,他们吓得抱作一团。几个大雨点噼噼啪啪打在树叶上。

"快! 伙计们,进帐篷!"汤姆喊道。

他们立刻跳起身,在林子里奔跑,黑暗中树根野藤不时将他们绊得东倒西歪,几个孩子没命地到处乱窜。一个凶猛的爆裂声震响了,树木间一切都在呼啸。雪亮的闪电一个接一个,晃得他们什么都看不见了,震耳欲聋的雷鸣也一个接一个轰隆而来。这时,倾盆大雨来了,将他们浑身浇得透湿,暴风渐起,把雨水刮成了瀑布。孩子们相互呼喊着,可是呼啸的狂风和轰鸣的雷声完全湮没了他们的声音。好在他们总算一个个钻进了帐篷,大家都吓得要命,浑身湿透,冷得厉害。不过不幸中有朋友做伴,还算一桩幸事。他们不能交谈,那块旧帆布扇动得哗啦啦乱响,就算没有其他声音,他们的声音也听不见。暴风雨越来越猛烈，不久，帆布摆脱了固定的东西，被风刮走了。孩子们相互拉着手逃命，一路上不知跌了多少跤，身上不知划了多少道口子，最后来到河边一棵大橡树下。此时，战争更加白热化了。闪电常常不间断地划破夜空，下面的一切都暴露无遗：被风刮弯的树木，翻卷着泡沫的汹涌河水，飞溅的雨丝和雨点打起的水泡，透过流云雨丝看到对岸模糊的悬崖。每隔一阵，就有一棵大树顶不住狂风，倒在其他树木上，发出一片断裂声。淫威不减的雷鸣不断地炸裂，声音震耳欲聋，令人胆战心惊。风暴聚集成无法比拟的飓风，似乎打算将沙洲撕成碎片，然后雷电要将它们烧为灰烬，暴雨要将树梢也淹没在水下，顷刻间就要将所有生灵全部消灭个干净。这是个狂暴的夜晚，对无家可归露宿野外的孩子就更是可怕。

战争终于结束，敌军撤退了，威胁和吼叫的声音越来越微弱，和平恢复了自己的支配地位。孩子们回到自己的营地，心里感到又惊恐又畏惧。不过他们发现，原来营地上方那棵大枫树被雷电劈裂了，惊惧中又感到庆幸，幸亏灾难发生时他们不在树下。

营地上的一切都浸在水里了，篝火也不例外。他们是一群不谨慎的孩子，与他们整个这一代人没有两样，原来根本就没有为下雨天做准备。他们浑身湿透，冷得厉害，一派沮丧模样。虽然情况悲惨不堪，可他们很快便发现，篝火已经将旁边一棵弯曲的树干烧着，有一小片树干没有熄灭。他们耐心地收集起树干下没有打湿的树皮，小心翼翼地将火点着，将一大堆死树枝堆在上面，不久便燃起了暖烘烘的篝火。孩子们的心立刻感到喜悦。他们烤好熏肉，大吃一顿，然后坐在篝火周围，将夜晚的光荣一直延续到早晨，其实，他们就是想睡，也找不到一片干燥的地方。

枝叶间射下的阳光开始照射在孩子们身上时，他们开始瞌睡，就躺在外面的沙坝上睡觉。阳光越来越强烈，把他们烤醒了，他们就懒洋洋地爬起身，去做早饭。吃过饭，他们觉得浑身难受，关节僵硬，又有点想家了。汤姆看出了这种迹象，就尽自己所能让海盗们打起精神。可他们对一切都不感兴趣,玻璃球、马戏杂耍、游泳等等,什么都激不起他们的兴趣。他提醒他们那桩秘密,大家脸上又现出熠熠光彩。大家兴致起来了,他又让大家对一个新游戏发生了兴趣。他建议大家暂时不做海盗,换个花样,当一当印第安人。孩子们被这个主意吸引了。他们很快便用黑泥巴在赤裸的身子上涂满了黑道道,一个个活像斑马。当然啦,大家都是酋长,他们冲进树林,去袭击英国人的定居点。

不久,他们分裂成三个相互敌视的种族,埋伏起来,突然大声吼叫着冲向对方,将敌人杀死千百次,每次都剥下他们的头皮。这是个血淋淋的白昼,当然,也是个极为愉快的日子。

到了吃晚饭的时间,他们聚集在营地上,肚子饿了,精神却十分愉快。但是,一桩困难出现了。相互怀有敌意的印第安人必须先媾和,才能分享款待的面包,这桩简单的交易不在和平气氛中一起抽烟,就不可能实现。他们没听说过其他解决办法。其中两个野蛮人真希望他们能保持原来的海盗身分。不过,既然没有其他办法,大家只得欣然表示同意,就装了烟斗,吞云吐雾一番。

他们很高兴变成了野蛮人,因为他们因此获得一种东西。他们发现,此时居然能抽点烟,而用不着去寻找什么丢失的刀子了。他们没有因此感到难受。他们没有作假,只是小心翼翼地抽。这天晚上大家过得欢天喜地。他们为自己的新本事感到自豪,感到高兴。就是剥下六族①印第安人的头皮,也不会让他们更高兴。我们现在不去打扰他们,让他们在这里抽烟,尽情地闲聊吹牛吧。

# 第 十 七 章

在同一个星期六下午,小镇上并没有同样的静谧。哈珀一家

---

① 六族:Six Nations 美国一个印第安人保留地的地名。——译注

和波利姨妈一家同时办丧事,人们伤心落泪。镇子沉浸在罕见的肃穆气氛中,当然啦,说句公道话,这个镇子平时也很安静。居民们神色漠然地表达着自己的忧伤,谈话很少,不时叹息。星期六的这个休假对孩子们来说,似乎是个负担。他们无心娱乐,也就不搞任何活动。

下午,贝基·撒切尔不由自主在学校院子里闲逛,心里觉得悲哀。可是院子里没有什么东西能给她安慰。她自言自语道:

"唉,要是能再得到一个铜钮就好了!我现在连一件他的纪念物都没有。"她强压住一声呜咽。

到了一处,她停下脚步,对自己说:

"就是这儿。要是能从头来一遍,我可不会再那么说了。我绝对不会那么说。可他已经走了。我再也见不着他了,再也见不着他了。"

这个念头让她无比沮丧,泪水滚下她的脸颊,她走开了。成群的男孩和女孩走来,他们都是汤姆的玩耍伙伴。孩子们站在栅栏墙旁边,口吻庄重地谈论起最后一次见到汤姆时他做过的事情,谈论着乔伊说过的话和一些琐事。他们现在都觉得,那一切都有着明确的不祥预兆。每一个孩子说话时,都指着去世的孩子当时站过的地方,当然还补充说:"我当时就站这儿,就在现在这个位置,好比你就是他,我跟他站得就这么近,他当时微笑着,就这样,现在回想起来,真可怕,不是吗,我根本没有想到它的真实含义,可我现在明白了!"

后来,在谁最后见过两个失踪的孩子的问题上,大家发生了争执。许多孩子都认为自己是见证人,并提供出稍加篡改的证据。大家最终确认了谁最后见过去世的孩子们,并最后跟他们交谈过,幸运的孩子便认为自己是神圣而重要的人物,也得到了其他孩子的羡慕或嫉妒。一个孩子提不出什么重要例证,带着显而易见的自豪回忆道:

"嗨,汤姆·索亚有一次用鞭子抽过我。"

想以此获得荣耀显然是个失败。哪个孩子都能说出同样的话，可是这种事也实在不适于夸耀。这群孩子闲荡着走开了，嘴里仍然带着敬畏口吻回忆逝去的英雄。

第二天早上，主日学校结束后，钟声响起，声音与往日不同。这是个非常肃穆的安息日，悲哀的钟声仿佛与大自然的静谧同样哀婉。镇子上的居民开始聚集，散布在教堂门厅的人们，压低声音谈论这桩悲哀的事件。不过，教堂里没有人说话，只有参加葬礼的女人们在座位上发出的衣裙瑟瑟声打破寂静。谁也记不得，以前教堂什么时候曾经挤满了这么多人。最后，大家完全静下来，期待中，波利姨妈走进来，锡德和玛丽跟在她身后。接着是哈珀一家。他们都穿着深黑色衣服。参加葬礼的所有来宾和老牧师虔敬地站起身，让悲伤哀悼的两家人在前排就坐。一片肃穆中，只能听到强压的呜咽声。牧师伸出双手祈祷。动人的赞美诗后，跟着一句："我是复活和生命。"仪式过程中，牧师以生动的语言描绘出失去的孩子们优雅的举止，超人一等的行为和原本无量的前途，每一位在场的人们都在心里辨认出两个孩子，都为自己以前拒不承认孩子的优点，一味盯着两个可怜孩子的缺点而感到悔恨。牧师还提到死者生前许多感人的事情，孩子们和蔼慷慨的品性因此更加生动地展现在大家面前。人们回忆起那些往事，深感它们非常高尚美好，后悔当时居然把那些行为列入恶行，认为应该受鞭打。随着牧师的哀婉讲述，参加葬礼的人们越来越感动，最后大家全都泣不成声，就连牧师本人也讲不下去，在讲坛上哭出了声。

谁也没有注意到，侧廊上发出一阵沙沙声，片刻之后，教堂门嘎吱一声打开了。牧师从手帕上举起一双泪眼，惊呆了！一对对眼睛顺着牧师的目光望去，整个教堂的人像触了电一样，几乎同时站起来，瞪着三个死去的孩子顺着过道走来。汤姆在前，乔伊紧跟，哈克身穿破衣烂衫目光羞怯走在后面！他们刚才一直藏在没人的侧廊里，倾听为自己举行的葬礼弥撒！

波利姨妈、玛丽和哈珀一家扑向复活的孩子们，拼命亲吻他们,嘴里说不完的谢天谢地之类,几乎让他们俩闭了气。可怜的哈克孤零零站在一旁,又难堪又难受,不知道该做些什么,也不知道该怎么躲避那么多歧视的目光。他迟疑着,打算悄悄溜走,可是汤姆抓住了他,说:

"波利姨妈,这不公平。见到哈克应该有人高兴才对。"

"不错。我见到他感到高兴,没娘的可怜孩子!"波利姨妈给予的爱抚让他比什么都感到难受。

突然,牧师高声喝道:"感谢上帝的恩赐! 赞美吧,全心全意地赞美吧!"

全教堂大声唱赞美诗,教堂的屋顶都被胜利的欢呼声震动了。海盗汤姆·索亚朝周围羡慕的孩子们扫视一眼,心里承认,这是自己一生中最自豪的时刻。

被捉弄的人群走出教堂时说,为了再次听到如此唱诗,他们宁愿再被捉弄一回。

那天,随着波利姨妈情绪的变化,汤姆吃了无数个耳光和亲吻,比以前一年挨的总数还多。他很难说清楚,哪些是向上帝表达感激,哪些是向他表示慈爱。

# 第 十 八 章

这正是汤姆的秘密——与海盗兄弟们在自己的葬礼上回家的计划。他们在星期六黄昏时分爬在一截圆木上划到密苏里州的河岸,在镇子下游五六英里的地方上岸,在镇子外面的树林里睡到天快亮的时候,从背街小巷溜进教堂的侧廊,在一堆乱七八糟的破凳子下面睡完这天的觉。

星期一早饭时,波利姨妈和玛丽对汤姆百般怜爱,对他的各种需要十分注意,谈话也比平时多。交谈中间,波利姨妈说:

"你们在外面享受了一段美妙时光,却让大家难过了大半个礼拜,我不能说这不是个好笑话,汤姆。可惜的是,你的心也太硬了,让我遭这么大的罪。既然你能爬在圆木上回来参加自己的葬礼,也该找机会来给我个暗示,让我知道你没死,然后再跑掉也行啊。"

"是啊,汤姆,你真该这么做才对,"玛丽说,"我敢说,要是你想到的话,肯定会这么做的。"

"你会这么做吗,汤姆?"波利姨妈问道,她的脸上露出沉思的神色,"说呀,要是你想到的话,会这么做吗?"

"我……嗨,我不知道。那会把事情搞砸的。"

"汤姆,我希望你真能那么亲我,"波利姨妈的忧伤腔调让汤姆觉得不舒服,"要是你能这么想想也就不简单了,尽管并没有做。"

"听我说,姨妈,这根本没什么害处,"玛丽恳求道,"这不过是汤姆的老一套,他总是急匆匆做各种事,一切都不顾。"

"那就更可惜。要是换了锡德,他准会考虑的。锡德准要回来告一声。汤姆,你将来想起往事就晚了,可你肯定后悔没抽空稍稍替我想想,本来不费你多少工夫。"

"行了,姨妈,你知道我亲你的。"汤姆说。

"要是你用行动表示,我就知道得更清楚了。"

"现在我真希望当时想到了这一点,"汤姆带着悔恨口吻说,"不过我梦见过你。这就是个证明,对不对?"

"那算不得什么,一只猫也会做这种梦。不过反正比没有好。你梦见了什么?"

"没什么。只不过是星期三晚上,我梦见你坐在那边的床上,锡德坐在木箱上,玛丽靠在他旁边。"

"哎呀,我们当时就是这样。我们一直这样。我很高兴你的梦对我们这么关心。"

"我还梦见乔伊·哈珀的妈妈也在这儿。"

"她那天真的在这儿! 你还梦见什么?"

"哦,还有很多事呢。不过现在记不太清楚了。"

"唉,你尽量回想一下吧,好不好?"

"我记得,好像……好像……刮着风,风把……"

"接着想,汤姆!风刮了什么东西?快说!"

汤姆用手指按住脑门子,让人焦急了一分钟后,他说:

"想起来了!我想起来了!风刮得烛光摇晃起来!"

"我的天哪!接着说,汤姆,接着说!"

"我好像记得你说:'我看那扇门……'"

"接着说,汤姆!"

"让我稍稍回忆一下……稍稍回忆一下。噢,对了,你说,那扇门准是开了。"

"我当时就像现在一样坐在这儿,说过这句话!对不对,玛丽!接着说!"

"然后……然后……我不能肯定,不过好像你让锡德过去关门,然后……然后……"

"哎呀,我让他做什么了,汤姆?我让他做了什么?"

"你让他……你……噢,你让他把门关上。"

"我的老天哪!我从来没听过这么准的梦!以后再也别对我说,做梦什么都不算。我要马上告诉塞里妮·哈珀。我倒要听她怎么评论,看她敢不敢再说这是什么迷信。接着讲,汤姆!"

"噢,现在我全想起来了,清楚得就像白天看见的事情。接着你说我不是个坏孩子,只是有点调皮,让人头疼。不如匹……恐怕你说我不如匹小马更驯服。"

"我就是这么说的!我的好老天哪!接着说,汤姆!"

"然后你就哭了。"

"对呀,我是哭了,而且也不是头一次哭。然后呢……"

"然后哈珀太太也开始哭,说乔伊也是一样,还说,她以为是他偷了奶油,就鞭打他一顿,却忘记那奶油已经馊了,是她自己扔掉的……"

"汤姆!你准是鬼魂附体了!你说的话就像先知!天地神圣哪!接着说,汤姆!"

"然后,锡德说……他说……"

"我不记得说过什么。"锡德说。

"不,你说过。"玛丽说。

"闭上你们的嘴,让汤姆接着说! 他说过什么,汤姆?"

"他说……我相信他说,他希望我在我的新地方处境好些,不过假如我原来好一点儿……"

"听到了吧! 这就是他的原话!"

"然后你打断他的话。"

"我发誓,我的确打断了他的话! 当时准是有个天使,准是有个天使在这里某个地方!"

"哈珀太太就说了乔伊放爆竹的事,你讲了猫儿彼得和止疼药的事……"

"太对了!"

"接着你们谈了很长时间,说的是怎么在河上打捞我们,星期日为我们举行葬礼,然后你和哈珀太太搂在一起哭,然后她就走了。"

"完全正确! 太对了。汤姆,你就是当时在场也不可能说得更准确! 然后呢? 说下去,汤姆!"

"然后嘛,我想你为我祈祷——我看见你,听见你说的每一个字。后来你上床睡觉。我太难过了,就掏出一块桦树皮,在上面写了'我们没有死,我们出去当海盗了。'写完把它放在桌子上,靠在蜡烛旁边。你睡着了,看上去非常安详,我记得弯下腰,亲吻了你的嘴唇。"

"是吗,汤姆? 是真的? 为了这我什么都原谅你!"说着她把孩子使劲搂在胸前,他却觉得自己是最邪恶不过的坏蛋。

"如果不是个梦,那可真是太好了。"锡德用刚刚能听见的声音自言自语道。

"闭嘴,锡德! 一个人梦中能做到的事情,醒着的时候肯定能做到。汤姆,这是我给你留的大苹果,专门等着人们找到你给你吃

的。现在去上学吧。我对好心的上帝和我们在天之父真是充满了
感激。是他把你带回来给我的,大家长期以来受苦受难,但是信赖
他的话,牢记他的告诫,这是回报。我不该得到这样的报答,不过,
长夜来临时,假如理应得到报答的人投入他的怀抱,受了他的恩
赐,得到他的帮助,逃脱苦难,应该脸露微笑,心存感激。去吧,锡
德,玛丽,汤姆,你们都去吧。你们耽搁了我够多的时间了。"

　　孩子们出门去上学,老女人去拜访哈珀太太,以汤姆奇妙的梦
境征服她的现实主义。锡德离开家的时候,什么话也没说,可他的
判断比较准确:"太精确了,那么长的梦居然一点错误也没有!"

　　汤姆简直变成个英雄了!他走路的时候不再蹦蹦跳跳,虚张
声势,而是带着尊贵态度大摇大摆。他认为,一个海盗在众目睽睽
之下,应该是这种感觉。他努力不看大家的表情,不听别人怎么评
论他,因为他们不过是他的鱼肉。比他小的孩子们跟在他身后,以
自己跟他在一起为荣,以他能容得下自己而自豪,仿佛他是个领队
的鼓手,或者他是一头领头的大象,正带领一队马戏团的动物走进
镇子。跟他年龄相仿的男孩子们假装不知道他曾经出走,不过他
们心里都怀着嫉妒。要是他们能有他那种古铜般的肤色,和他显
赫的恶名声,他们什么都舍得拿来换。可是,这两样汤姆全都不会
拿来交换,就是让他看马戏,他也不换。

　　在学校,汤姆和乔伊受到大家重视,孩子们的目光中流露出敬
佩,没过多久,两个英雄就变成了无法忍受的"榜样"。他们开始向
渴望的听众讲述自己的冒险经历,这种故事是不可能讲完的,他们
的想像力总能添加进数不清的素材。最后,他们掏出烟斗,平静地
朝四下喷烟,他们终于抵达了荣耀的顶峰。

　　汤姆决定不与贝基·撒切尔接触。他的荣耀已经足够多。他
要为荣耀而生活。既然他现在已经是个名人,说不定她想"重修旧
好"呢。哼,随她去,她会看到他像其他人一样冷漠。不久她来了。
汤姆假装没看见她。他转身走开,跟一群男女孩子交谈。很快,他
发现,她兴高采烈地走来走去,脸颊绯红,目光流连,假装在追赶同

学,逮住后尖声大笑。他注意到,她总是在他周围逮住同学;每逢这种时刻,她总要朝他这个方向投来一瞥。这情形使他的虚荣心得到了满足,因而她不但没有赢得他,反而更让他打定主意,避免流露出他其实在注意她。不一会儿,她放弃了欢乐,变得迟疑,走来走去,叹息了一两声,偷偷朝汤姆张望。接着,她注意到,汤姆这时正故意跟埃米·劳伦斯交谈。她立刻感到一阵痛苦,显出非常不安的神色。她想走开,可她的脚步却背叛了她的意志,反而朝这群孩子走来。她装出精神勃勃的样子,跟汤姆身旁的一个女孩说:

"哎,玛丽·奥斯汀!你这个坏蛋,怎么没去主日学校?"

"我去了,怎么,你没看见我?"

"当然没有!你真的去了?坐在哪儿?"

"我在彼得斯小姐那个班,我从来都在那个班的。我还看见你了呢。"

"是吗?哎哟,真奇怪,我怎么没瞧见你?我想跟你说说野餐的事。"

"啊,那可真有趣。谁来组织?"

"我妈妈让我组织。"

"太好了。我希望她能让我参加。"

"当然能。野餐是为我举行的。我想邀请的人她都欢迎。我要你参加。"

"那可太好了。什么时候举行?"

"等两天。大概在假期吧。"

"真有趣!你会邀请所有女孩和男孩吗?"

"对。我的所有朋友,还有想跟我做朋友的。"她朝汤姆投去一瞥,这次更加诡秘。可他正在跟埃米·劳伦斯大谈岛上遭遇可怕风暴的经历,说闪电如何将大枫树劈成碎片,当时他就站在三英尺远的地方。

"噢,我能参加吗?"格雷斯·米勒问。

"行。"

"我呢?"萨利·罗杰斯问。

"行。"

"我呢?"苏茜·哈珀问,"还有乔伊?"

"行。"

整个一群孩子都要求受到邀请,满足后乐得击掌欢呼,只有汤姆和埃米不为所动。汤姆冷淡地转过身,带着埃米走开,同时并没有停止交谈。贝基的嘴唇在颤抖,眼泪涌上眼眶。她藏起悲哀强装笑颜,继续跟大家喋喋不休说闲话,可是,野餐的灵魂没了,她的一切也都没了灵魂。她一得到机会,立刻躲起来,用女孩子的话说,"痛痛快快哭了一场"。她的骄傲受到伤害,恼怒地坐着,直到铃响。她站起身,目光中带着复仇的光芒,甩了一下辫子,做出了一个决定。

下课后,汤姆继续得意洋洋地跟埃米调情,而且他仍旧不时地瞟一眼贝基,用自己的表演撕她心灵的伤口。最后,他看见她了,可他的心立刻凉了半截。她此时正跟阿尔弗雷德·坦普尔并肩坐在教室后面一个小凳子上,神情闲适地看一本连环画,两个人脑袋紧紧靠在一起盯着看那本书,神情非常专注,似乎完全忘记了世界上的一切。汤姆的血管里嫉妒的血液都沸腾了。他开始痛恨自己,骂自己放弃了贝基主动给他的和解机会。他骂自己是个傻瓜,笨蛋,以及能想得出的其他恶毒字眼。他恼火得简直要哭出来了。他们一边走,埃米一边愉快地唠叨个不停,她的心在歌唱,可是汤姆的舌头却丧失了功能。他听不见埃米在说些什么,在她停顿下来期待他接应时,他只能笨拙地嗫嗫两声表示赞同,结果往往不合时宜。他一次又一次走向教室后面,目之所及,可恶的景象简直能让他眼睛冒出火焰。可他还是不由自主地走过去看。更让他疯狂的是,他发现贝基·撒切尔连一次也没注意他,仿佛他这个人根本就不存在。不过,她却注意到了,而且意识到自己赢得了这场战斗,很高兴他现在像自己刚才一样在遭难。

埃米的天真唠叨变得让他难以忍受。汤姆暗示说,他有别的事必须去办,而且时间很紧急。可那姑娘没理解,继续喋喋不休。汤姆自忖:"真该让她上吊去。难道我从此再也赶不走她了?"最后,他直截了当地说,必须去办那些事情。她毫不掩饰地说,放学的时候,她要等他。他匆匆走开,心里感到厌恶。

"另找个男孩!"汤姆咬牙切齿道,"整个镇子上就这小子以为自己身穿漂亮衣裳就是贵人!哼,你头一遭见到这个镇子,我就揍了你一顿,好哇,先生,我还要揍你!你等着我在外面逮住你!我要……"

他开始模拟痛打一个想像中的孩子,朝面前拳打脚踢。"哈,你小子,敢动手?你敢喊叫,嗯?吃我这拳,再来一下子,叫你尝尝我的厉害!"最后,他总算打了个心满意足。

汤姆中午逃回了家。他的良心受不了埃米那种幸福的感激,他的嫉妒心也忍受不了另外的痛苦。贝基重新跟阿尔弗雷德凑在一起看连环画,可是,时间一分分过去,没有汤姆在跟前展示痛苦,她的胜利感蒙上一层阴影,她失去了兴趣。接着,她感到心情沉重,变得心不在焉,然后开始悲哀。听到脚步声,她几次竖起耳朵,结果希望落空,来的并不是汤姆。最后,她心绪恶劣,后悔不该搞到这步田地。可怜的阿尔弗雷德发现自己要失去她了,不知道该如何挽回败局,大声嚷道:"瞧哇,这幅画真有趣!瞧这个!"她终于失去了耐心,说:"噢,别烦我!我不喜欢!"她突然哭出了声,站起身,打算走开。

阿尔弗雷德站起身,打算安慰她。她说:

"走开,让我独自呆一会儿,行不行!我讨厌你!"

男孩只好停住脚步,默不作声,心里纳闷,不知道哪儿做错了。因为是她提出要整个中午看那本连环画的。她边走边哭。阿尔弗雷德垂头丧气走进空无一人的教室。他感到受了羞辱,心头恼火。他没用多少工夫就猜到了事情的原委——这女孩其实是利用他向汤姆·索亚出气。产生这想法之前,他根本没有嫉恨汤姆。这时,他希望找到一种方法,既能报复汤姆,又不让自己冒多少危险。他一眼看见汤姆的拼写本。他的机会来了。他得意地打开本子,翻到下午的课程,将墨水泼在那一页。

正巧,贝基此刻从窗户旁经过,目睹了他的行为,却没有暴露自己,走开了。她走上回家的路,打算找到汤姆,把这事告诉他,汤姆会因此感谢她,他们之间的伤痕也就弥合了。可是,她还没走出一半路,就改变了主意。想到汤姆那么对待她的野餐,她心头就像烧着了火,心里充满了耻辱。她决定让他为弄坏拼写本挨鞭子,为了自己蒙受的耻辱,她要永远恨他。

# 第 十 九 章

汤姆回到家,闷闷不乐。姨妈开口对他说的第一句话,就让他发现,自己的悲哀在这里得不到安慰。

"汤姆,我真想活活剥了你的皮!"

"姨妈,我又干什么了?"

"你干的好事还少吗?我像个老傻瓜一样去了塞里妮·哈珀家,想让她相信你那套关于梦的鬼话。哈,结果呢,她已经从乔伊那里问出来,你回家来过,偷听了我们那天晚上的全部谈话。汤姆,我不知道一个男孩怎么会干出这种勾当!一想到你让我跑到塞里妮·哈珀家,扮演个傻瓜的角色,最后弄得张口结舌……"

事情闹到这一地步,汤姆早上的机灵笑话这时变得低级下流了。他耷拉着脑袋,好一阵子不知道该说什么。后来他说:

"姨妈,我后悔不该那么说,可我没想到你会去她家。"

"啊哈,孩子,你没想到。你除了自己的自私念头,什么事情也不想。你能想到从杰克森岛一路跑来笑话我们的麻烦,你能想到编造一个梦的谎话来愚弄我,可你就是想不到可怜我们,不让我们受悲苦。"

"姨妈,我现在知道那是不好的。可我的原意不是这样。说真心话,不是的。再说,我那天晚上回来也不是为了笑话你。"

"那你回来干吗?"

"是为了来告诉你们别为我们担心,因为我们没有淹死。"

"汤姆呀汤姆,要是我能相信你有那么好心,我可真是感激不尽啦。可你从来没有过这样的心。这我知道得清清楚楚,汤姆。"

"我说的是真话,真的,姨妈。要不是这样,我就根本不会来。"

"噢,汤姆,别撒谎了,别给我撒谎。你越说越让人不相信。"

"我不是撒谎,姨妈,是真话。我不想让你伤心,这就是我回来的真正目的。"

"我倒真想让全世界都相信——这可真能把罪恶都掩盖起来啦,汤姆。你要是逃走,去干坏事,我倒高兴不尽啦。你的话不合情理。你干吗回来又不告诉我,孩子?"

"这还用说,你们谈论起葬礼的事,我突然产生了回来藏在教堂的主意,我不愿破坏这个想法。所以我把桦树皮又装回口袋,保持沉默。"

"什么树皮?"

"我在上面写了字的树皮,告诉你说,我们出去当海盗了。现在我真希望,我亲吻你的时候,你能醒来。我是真心的。"

姨妈脸上严厉的皱纹舒展开来,眼睛里突然有了温柔的光芒。

"你亲吻我了,汤姆?"

"当然啦。"

"你保证,汤姆?"

"当然了,姨妈。我保证。"

"你为什么亲我,汤姆?"

"因为我非常疼你。你躺在床上呻吟,我感到难过。"

这话听上去像是真的。老太太掩饰不住自己颤抖的声音,说:"再亲亲我,汤姆!……好了,去上学吧,别再惹我心烦了。"

他一走,她就跑到柜子跟前,取出汤姆跑去当海盗穿的那件衣裳。然后她停住手,自言自语道:

"不,我不敢。可怜的孩子,我打赌,他准是在撒谎。可那是个该受祝福的谎话,那么让人舒服。我希望上帝——我知道上帝会原谅他,因为他说的话充满了善意。我真不愿揭露出它是一派谎言。我不看了。"

她把衣服放在一边,默默站了片刻。她两次把手伸向那衣服,又两次缩回手去。她再次冒险,这次以一个想法坚定了信心:"这是个好的谎言,这是个好谎话,我不让它伤我的心。"她动手翻衣服口袋。很快,她找到了那块树皮,读着上面的字,老泪纵横,喃喃地说:"我原谅这孩子。他就是犯下一百万桩罪过,我也原谅他!"

# 第 二 十 章

汤姆亲吻波利姨妈的时候,她的态度扫去他低沉的情绪,让他再次变得心情轻松愉快。他去上学,正巧在草场巷遇到贝基·撒切尔。他的态度总是受情绪的左右。他毫不犹豫地跑过去,对她说:

"贝基,我今天的举止太不好了,我非常抱歉。我以后再也不那样了,只要我活着就不会再发生那种事。我们和解吧。"

女孩站住,轻蔑地望着他的面孔:

"托马斯·索亚先生,如果你保持风度我将不胜感激。我以后再也不跟你说话了。"

她扬起头从他身旁经过。汤姆惊呆了,甚至没想到说句漂亮话:"谁在乎呢,漂亮小姐?"等到他想起这句话时,已经错过了机会。所以他一句话也没说。可他气得要命。他闷闷不乐地来到学校,心里真希望她是个男孩,想像着如果她是个男孩,他就要痛打她一顿。不久他再次遇到她,从旁经过时,他说了一句尖刻的话。她也回敬一句,愤怒的裂痕就此形成了。贝基在盛怒中渴望看到汤姆为污损拼写本吃鞭子。原来她还有点想揭发阿尔弗雷德·坦普尔,可是汤姆对她的侮辱让她彻底打消了这念头。

可怜的女孩,她根本不知道自己很快就要遇上麻烦。老师多宾斯先生中年不得志,原本想获得博士学位,家境贫寒让他只能当个乡村教师。每天,在学生们背诵的时候,他就从教桌里取出一本神秘的书,倾心研究。他总是把那本书锁在教桌里。没有哪个淘气鬼不想看看他看的到底是什么书,可就是没机会。对于这本书的内容,每个男孩和女孩都有自己的一套猜想,可是大家的猜想全不相同,而且也根本无法得到证明。贝基从教室门口的教桌旁经过时,发现钥匙就插在锁子上!这是个珍贵的时刻。她朝周围扫视一眼,发现没人,片刻之后便把书拿到手里。封面上——某某教授的解剖学——没有提供什么特殊意义,她便开始翻阅。一幅男人逼真的正面画像立刻落入她的眼帘——全裸的人体。正在这时,一个影子投在画面上,汤姆·索亚走进教室,瞥见了这幅画。贝基急忙合上书,倒霉的是把这幅画从中间撕破了。她把书丢进教桌,扭动钥匙锁上,又羞又恼,放声大哭。

"汤姆·索亚,你是个最卑鄙的小人,偷看人家正在看的东西。"

"我怎么知道你在看什么?"

"你应该感到羞耻,汤姆·索亚。你肯定会告发我,我该怎么办!会打我鞭子的,我在学校从来没挨过鞭子。"

她跺了跺小脚,说:

"要是你卑鄙下流,就告发好了!我知道还有一件事会发生。等着瞧吧!可恶!可恶!可恶!"她再次哭出声,跑出教室。

汤姆呆站在那里,被这阵狂轰滥炸搞得莫名其妙。隔了一会儿,他自言自语道:

"女孩子真是一种奇怪的傻瓜!在学校从来不吃鞭子!呸!吃鞭子算什么!女孩子们皮太薄,心太软。当然我不会把这种傻事告诉老多宾斯,有的是其他好办法报复她。可这事怎么办?老多宾斯会问,是谁把书撕破的。没人承认,他准会按老办法处置,一个个盘问,问到犯错误的女孩时,他不说也知道。女孩的脸从来都能泄露心中的秘密。她们根本没骨气。她要吃鞭子。对贝基·

撒切尔算是桩可怕的事情，因为她根本逃不脱。"汤姆多考虑了一会儿，接着自言自语道："好吧，她想看我的笑话，等着瞧吧！"

汤姆加入到教室外面喧闹的孩子们中间。不久，老师来了，开始上课。汤姆对学习兴趣不大。他每次朝女孩子们那边溜一眼，看到贝基的面孔就让他心里不安。考虑到发生的种种事情，他不想可怜她，可是，只有他能帮助她。他没有什么值得高兴的事情。不久，拼写本的污损被发现了。汤姆心里满是自己的事情，没顾上多注意。贝基从闷闷不乐中提起精神，蛮有兴趣地注意着事态的发展。她认为，汤姆抵赖也没用，结果她是对的。抵赖把事情搞得更糟。贝基猜想，自己应该为此感到高兴，心里试图为此高兴，可她发现，自己的态度并不明确。假如发生最糟糕的情况，她有一种冲动，要站起来揭发阿尔弗雷德·坦普尔。可她竭力逼迫自己保持镇静，她自忖道，"反正他会揭发我撕了那本书的事。我一个字也不说，就是要他的命我也不说！"

汤姆挨过鞭子，回到座位上，并没有感到伤心，他以为，有可能是自己兴高采烈时，无意中打翻过墨水瓶，污损了拼写本。他抵赖已经是家常便饭，一旦有事总是抵赖。

整整一小时过去了，老师坐在自己的宝座上打瞌睡，朗读的嗡嗡声让人瞌睡。后来，多宾斯先生坐直身子，打了个哈欠，打开教桌，拿那本书。该不该把书取出来，他看上去似乎拿不定主意。学生中有两双眼睛在密切注视着他的这一举动。多宾斯先生心不在焉地摸了一会书，然后把书摆在桌子上，在椅子上坐端正，开始阅读！汤姆朝贝基瞥了一眼。她的模样就像他以前见过的一只兔子，猎枪已经瞄准，毫无逃脱的希望。他立刻把两人的争执撇到脑后。必须采取行动，而且要快！要迅雷不及掩耳！突然来临的紧急情况让他的机敏思维变得麻痹了。对！他有主意了！他要跑过去夺走这本书，冲出门去。可是，他的决心稍有动摇，机会错过了。老师已经打开了书。汤姆真希望能重新得到这个机会。可惜太迟了。他心里说，这下帮不上贝基的忙了。片刻之后，老师已经把目光转向全班学生。每一双眼睛都在他的注视下垂了下去。严厉的目光下,就是无辜者也会感到恐惧。沉默。时间长得让人足能数到十下。老师的怒火在积蓄。然后他质问:"是谁撕了这本书?"

教室里鸦雀无声。就是一根针掉在地上也能听见。寂静在持续,老师在每一张面孔上寻找罪犯的影子。

"本杰明①·罗杰,是不是你撕了这本书?"

没有承认。又是一个停顿。

"约瑟夫·哈珀,是你干的?"

也不承认。缓慢的折磨让汤姆的不安越来越强烈。老师的目光扫过男孩,考虑片刻,然后转向女孩:

"埃米·劳伦斯?"

摇了摇头。

"格雷西·米勒?"

同样的表示。

"苏珊·哈珀,是你干的?"

又是否认。下一个女孩就是贝基·撒切尔。汤姆从头到脚都在颤抖,心里糅合了激动和无助的沮丧。

"丽贝卡②·撒切尔。"汤姆朝她扫视一眼,见她吓得脸色苍白。

"是你撕的。看着我的面孔。"她伸起手做出恳请的手势。"是你撕了这本书?"

汤姆脑子里像闪电般产生一个念头。他跳起身喊道:"是我干的!"

全班同学为这种不可思议的愚蠢举动搞得迷惑不解。汤姆站了一会儿,镇定一下情绪。他挺身上前接受惩罚时,可怜的贝基眼睛里闪烁的惊讶、感激和崇拜神色是他最大的补偿,就是吃一百鞭子也值得。多宾斯先生惩罚学生从来没有打得这么狠,可是,汤姆

---

① 本杰明:"本"是本杰明的昵称。——译注
② 丽贝卡:"贝基"是丽贝卡的昵称。——译注

连一声尖叫也没有发出来。同样,他也漠然地接受了残酷的命令,要他放学后在学校留两小时。他知道,他的徒刑期满后,谁会在外面等着他,因此并不在乎时间损失。

汤姆那天晚上上床睡觉的时候,制定了一个报复阿尔弗雷德·坦普尔的计划,因为贝基在羞愧中把实情透露给他了,同时,她也没有忘记告诉他自己的背叛行径。不过,即使是报复的渴望也很快被愉快的回忆冲淡了。汤姆入睡时,耳畔响起的是贝基最后跟他耳语的甜美声音:

"汤姆,你怎么会这么高尚!"

# 第二十一章

假期临近了。原本很严厉的老师,这时变得更加严厉,更加严格,他想要学生们在考试那天有出色的表现。他的教鞭和戒尺现在难得空闲,至少比较小的学生们很少逃过惩罚。只有最大的男孩和年轻姑娘们能免受体罚,他们都是些十八到二十岁的成人了。多宾斯先生打起学生来,精力非常充沛,他的秃头上虽然戴着假发,可他毕竟刚到中年,浑身的肌肉丝毫没有显出衰老的迹象。随着那个伟大的日子即将到来,他身上的所有暴君本性全都暴露无遗。他似乎能在惩罚最小的缺点中获得报复的快感。结果,年龄比较小的孩子们白天在恐怖和苦难中度过,到了晚上就策划报复。他们抓住每一个机会对老师搞恶作剧。可他照旧我行我素。每个恶作剧的成功都紧跟着彻底的报复,结果,孩子们回家的时候,总是心绪恶劣。最后,他们联手阴谋策划,搞出一个计划,可望获得显赫的成功。他们收买了画广告画的男孩,要他发誓保密,把计划告诉他,请求他帮忙。他有自己的理由为此感到喜悦。那老师住在他父亲家,在许多方面让这男孩感到厌恶。老师的妻子几天后要去乡下,所以不会干涉这个计划。老师遇上重大节日或庆典,总是灌个烂醉。画广告的男孩说，在考试前那天晚上，等到老师进入某种状态，坐在椅子上睡着了，他就会"处理那事"。然后他就按时把他唤醒，催他去学校。

那个迷人的日子来到了。晚上八点钟，学校灯火通明，到处装饰了花环绿叶。老师那把大宝座放在一个高出地面的平台上，身后是黑板。他显得相当老成持重。平台两侧，每边三排长凳，面前六排长凳，凳子上坐满了镇子上的达官贵人和学生家长。在他左边，市民们身后临时搭起广阔的平台，学生们坐在上面参加这天晚上的活动。一排排小男孩洗得干干净净，穿戴得整洁难受；腼腆的大男孩们坐成一排排；身穿细麻布和棉布的女孩子大姑娘们坐成一排，白得像一道雪岸，她们意识到，自己裸露的胳膊、祖母的旧首饰、粉红色或者蓝色的丝带以及头上插的花儿都很惹人注目。屋子里其他位置挤满了不上课的学生们。

考试开始了。一个小男孩站起来，羞怯地背诵出"你们恐怕没有料到，我这么小年纪敢于在台上当众讲话"之类开场白。讲话过于精确刻板，带着抽搐般的手势，活像一部失灵的机器。大家都替他捏着一把汗，不过，他的讲话安全地完成了，机械地鞠了一躬，退场。大家鼓掌。

一个害羞的小女孩结结巴巴地背诵出"玛丽有只小羊羔"等等，最后行了个令人叫好的屈膝礼，观众报以掌声，她兴奋得满脸通红，坐下。

汤姆·索亚走上前来，神态自若抑扬顿挫地背诵那篇不可磨灭的演讲辞《不自由毋宁死》。他的声调中带着怒火，手势狂乱，中途便停顿下来。他怯场了，双腿在颤抖，喉咙喘不上气。整个屋子的人都同情他，更可怕的是，大家全都沉默着。老师皱起眉头，这更导致了灾难。汤姆踌躇了一阵，退下去，彻底败下阵来。几个零星掌声很快便消逝了。

接下来背诵的是几篇经典演说辞《男孩站在燃烧的甲板上》、《亚述的没落》等等。然后是阅读考试、拼写比赛。人数寥寥的拉丁班得意洋洋地背诵之后,这天晚上的最精彩部分开始了——年轻女士们的"原创作文"。每一位女士都走到台前,清一清喉咙,举起漂亮丝带扎成一卷的手稿,开始朗读,其间竭力带有感情,准确按标点符号停顿。作文题材无疑与同样场合下她们母亲、祖母乃至十字军东征以来的列位女祖宗的并无二致:《友谊》、《记一个有意义的日子》、《宗教史》、《梦境》、《文化的优势》、《不同政府之对比与对照》、《论悲哀》、《论孝道》、《渴望》等等等等。

这些作文中的普遍特色是一种在保护和宠爱下的悲哀,是堆砌滥用华丽辞藻,是陈腔滥调,是每一篇文章结尾画蛇添足的说教。不论是什么题材,作者都绞尽脑汁加进宗教和道德的意义。这些说教的显著虚伪性还不足以改变学校的陋俗,到今天也没有改变。或许只要世界存在一天,这种虚伪就要存在一天。在我们的整个国土上,没有哪所学校的女学生不在作文结尾加上一段说教。你会发现,学校里最猥琐、最不信奉宗教的女生写的说教,总是最长,内容总是最虔诚。我们不提这些了。家常丑闻没味道。

我们还是回来看看"考试"吧。朗诵的第一篇作文名叫"这便是生活吗?"也许读者能够忍受下面的片段:

> 日常生活中,年轻人是以怎样的喜悦心情期待某些欢庆活动啊!他们的想像力总是忙着描绘玫瑰色的喜悦图画。想像中,她从来跻身于热衷时尚的人群中,为众人所瞩目。她身段优雅,身穿雪白的裙袍,在欢舞的迷宫中旋转。她的眼睛闪烁出最明亮的光芒,她的脚步在所有舞伴中是最轻盈的。

> 在这种美妙的想像中,时间匆匆逝去,她梦寐以求的天堂乐土开始欢迎她。她的幻觉中,一切都如仙女般美丽!每个新的景象都胜过以前。然而,不久她便发现,在这一切美丽的外表下,一切终归空虚。原来愉悦她心灵的恭维,现在变得尖锐刺耳;舞会失去了迷人的魅力;随

着健康的恶化和心灵的痛苦,她转而相信,世俗的愉悦并
不能满足灵魂的渴望!

　············

　朗诵过程中,不时传来满意的嗡嗡声,夹杂着低声的赞叹:"多
美呀!""多么有说服力!""简直是真理!"等等。作文在痛苦的说教
折磨中结束,听众报以热烈的掌声。

　一个身材苗条神色忧郁的女孩站起身,她的苍白面色显然产
生于消化不良并服用药物。她朗读一首诗,其中两节如下:

　　一位密苏里姑娘告别阿拉巴马

　　别了,阿拉巴马! 我真心热爱你!
　　可我现在要暂时离你而去!
　　一想到你,我的心中便充满悲戚,
　　回忆如火,将我的眉头凝在一起!
　　我曾漫步你鲜花盛开的林地,
　　也曾畅游你流水潺潺的小溪,
　　听到过塔拉西河战鼓般的洪涛,
　　追寻过倾泻在库萨林中的阳光雨。

　　我不为自己的伤心而羞愧,
　　也不为我的泪水横流而脸红。
　　我离开的不是片陌生的土地,
　　我也不是为素不相识的人叹息,
　　这里是我的家园,我爱她的一草一木,
　　我离开她的山谷,她的教堂离我而去,
　　亲爱的阿拉巴马! 他们对你如此冷漠,
　　我的心灵脑袋和眼睛也都沉寂!"

虽然很少有人听得懂法语朗读的"脑袋"这个字,可诗歌获得了极大的成功。

　　接着朗诵的是个深色皮肤黑眼睛黑头发的姑娘。她煞有介事地停顿片刻,酝酿出悲剧的表情,开始用慎重而庄严的腔调朗诵:

### 一个梦境

> 这是个暴风雨的漆黑夜晚。
> 高高的天际,没有一颗星星在眨眼;
> 但是,震响在天空的低沉雷声
> 不断在耳畔回响,那可怕的
> 闪电愤怒地划过天空的云层,
> 似乎在蔑视控制它恐怖力量的
> 名人弗兰克林! 喧闹的风也离开
> 它神秘的家同时赶来,到处破坏
> 仿佛要增强这狂暴的景象。
>
> 在这黑暗恐怖的时刻,我的心灵我的精神在叹息,
> 然而,我最亲爱的朋友,我的导师,
> 我灵魂的安慰者和指导者
> 我悲哀时的欢乐,我欢乐的赐与者来到我身边。
>
> 她就像伊甸园中浪漫的女皇,
> 圣洁的身体无比可爱,
> 浑身上下并无装饰却无比迷人。
> 她的脚步轻盈,听不到一个声响,
> 若不是她神奇亲切的接触,
> 以及她谦逊的美貌,

她就是飘然而去,也不会留下任何痕迹。

她指向外面严酷的景象,

要求我注视那里的两个人,

她的容貌间有一种奇怪的悲哀,

如同十二月落在衣裙上的冰泪。


这篇噩梦般的散文占据了整整十页稿纸,最后的说教对于非长老会的成员来说,简直能扼杀他们的所有希望。最后,这篇玩艺儿竟然得了头等奖。这个作文被认为是这天晚上的最佳作品。镇长向作者颁发奖品时,即席发表演讲,说这是他听到过的最动人的作品,就是演说家丹尼尔·玮伯斯特本人听了,也会感到骄傲的。

我们注意到,在许多作文中,"美"这个字眼受到过分宠爱;所有文章都把人生经验说成是"生命的一页",使用频率实在高得令人索然。

此时,态度几乎近于亲切的老师把椅子拖到一旁,背对观众在黑板上画了一幅美国地图。他要考学生的地理知识了。可是他的手颤抖得厉害,地图画得一塌糊涂。屋子里掀起一片嗤笑声。他知道这是怎么回事,便动手修改地图,擦掉几条线,重新画。可他把线的位置弄得更乱了。嗤笑声变得响亮。他更加聚精会神,仿佛决心不让人们的嘲笑吓倒。他感到,所有眼睛都聚集到他身上了。在他想像中,他渐渐接近成功,可是嗤笑声在继续,声音甚至变得明目张胆。他头顶上有个小孔通往顶楼,这时,一只猫儿突然从这个孔吊下来。猫儿腰上系着根绳子,吊在上面来回晃荡。猫儿嘴上拴着一块破布,它想叫也叫不出声。猫儿缓缓降下来,身体弯上去抓那绳子,弓下身子在无形的空气中乱挠。嗤笑声变得越来越响亮,猫儿距离专心致志的老师的脑袋距离只有六英寸了,还在降低,降低,它突然疯狂地死死抓住他的假发不放。猫儿突然被拉上了天花板,爪子还紧紧抱着自己的战利品!老师的脑袋突然变得多么明亮耀眼啊——这是那位画广告的男孩的杰作。

这个事件将考场破坏了。男孩子们报了仇。假期来临了。

# 第二十二章

　　汤姆参加了生活节制的军训活动,因为他被炫目的肩章迷住了。他保证,作为军训成员,要杜绝吸烟,也不嚼烟,并且不做亵渎神圣的事情。他有了个新发现,那就是:许诺不做某事,肯定让人特别想做这事。汤姆很快便觉得不喝酒不骂人简直是一种折磨。这种渴望变得越来越强烈,要不是为了能炫耀红色肩章,他才不愿继续参加这种活动呢。七月四日①就要到了,可他很快就放弃了活动,离开的时候,戴上那种镣铐还不到四十八小时。在这之前,他把兴趣转向了老法官弗雷泽。老法官显然就要归西,因为是个高级官员,当然要举行大规模葬礼。三天之中,汤姆对法官的病情十分关心,渴望听到新闻。有时候,他的好奇心实在太强烈了,就取出肩章,戴起来照镜子。但是,法官的健康总是朝最令人气馁的方向发展。最后,竟然宣布说,他的病情有了好转,到后来,居然恢复了健康。汤姆感到厌恶,而且还觉得自己受了伤害。他立刻提出离开军训活动。就在当天夜里,老法官病情突然恶化,死了。汤姆打定主意,以后再也不信赖这种人了。

　　葬礼非常隆重。军训士兵的队列整齐划一,足足能把汤姆这个前军训士兵气死。不过,汤姆又成了个自由的男孩,这才是非常重要的。他又能喝酒骂人了,结果他奇怪地发现,并不想做这种事情。获得某种自由后,原来对它的渴望,以及这种事情的迷人之处便荡然无存。

　　汤姆不久便吃惊地发现,原先渴望的假期,现在成了个小小的负担。

---

　　① 7月4日:美国独立日。——译注

他试图记日记,结果发现三天中什么事情也没发生,便放弃了日记。

第一个黑人巡回演唱队来到镇子上,引起了轰动。汤姆和乔伊·哈珀跟在一班演员身后转,整整乐了两天。

就连光荣的七月四日,在某种意义上也是个失败,因为那天下大雨,游行取消了。汤姆心目中最伟大的人本顿先生也让他彻底失望了,那人是个美利坚合众国的参议院议员,结果身材并不是二十五英尺高,跟周围邻居一样,是个平常人。

一个马戏团来了。男孩们后来玩了三天马戏团游戏。他们用破地毯拼成个大帐篷,入场票价男孩三分,女孩二分,后来马戏团游戏也没人玩了。

后来,镇子上来了个算命的和一个催眠的,走了以后,镇子变得比以前更加让人觉得乏味了。

后来倒是举办过几次男女孩子的晚会,可是次数太少,晚会又太令人愉快了,事后,生活变得让人无法忍受。

贝基·撒切尔去了君士坦丁堡镇,回家跟父母团聚度假,汤姆的生活中连一丝乐趣也没有了。

关于那桩杀人案的秘密不断地折磨着他,简直像癌症一样,带给他永久的疼痛。

后来,他出麻疹了。

漫长的两个星期中,汤姆像个监狱中的犯人,躺在床上一动不动,对世界上发生的事情一无所知。他病得厉害,对什么都不感兴趣。最后终于能起床了,他朝镇子里走去,发现一切都发生了令人悲哀的变化。镇子里在进行宗教运动,任何人都必须信教,大人小孩都不例外。汤姆到处走动,希望看到一张亵渎神圣的面孔,但是,不论他到什么地方,遇到的总是失望。他发现乔伊·哈珀在学习《圣经》,便悲哀地转身离开这种沉闷的场面。他找本·罗杰,却发现他提了一篮传教的小册子,正在挨家挨户向穷人们散发。他找到吉姆·霍利斯,那孩子怕被他染上麻疹。他遇到的每一个孩子都给他平添不少沮丧。绝望中,他最后投入哈克贝利·费恩的怀抱,哈克以一段祈祷辞迎接他。他的心碎了,回家爬上床,心里意识到,整个镇子永远永远把他抛弃了。

那天夜里,刮起了极其可怕的风暴,风雨交加,雷鸣电闪。他用床单包住脑袋恐怖地等待着自己的厄运,他丝毫也不怀疑,这一切全是冲着他来的。他相信,他早已触怒了上界的权威,他们再也不能容忍,现在就是结果。他或许认为,如此对付他似乎在浪费声势和力量,简直像大炮轰蚊子,耗费那么昂贵的雷电把他这么一个虫子样的东西打个屁滚尿流,未免小题大作。

渐渐地,暴风雨耗尽了力气,却没有实现目标。孩子的第一个冲动是感到庆幸,打算改过自新。他的第二个念头是等等看,因为恐怕不会再有什么暴风雨了。

第二天,大夫出诊。汤姆病情加重。这次在床上躺了三个星期。他觉得仿佛病了整整一辈子。最后他终于能下地了,却并不感到庆幸。他没有伙伴,无比孤独凄凉。他无精打采地在街上闲逛,发现吉姆·霍利斯正在扮演法官,审判一只犯了谋杀罪的猫,受害者就在面前,是一只鸟。他在一个小巷遇到了乔伊·哈珀和哈克·费恩。他们正在吃一只偷来的甜瓜。可怜的家伙们!他们像汤姆一样,故态复萌。

# 第二十三章

沉睡般的气氛终于被强有力地打破了。谋杀案开始法庭审理,也立刻成了镇子上最诱人的话题。汤姆无法逃避各种消息。关于谋杀的每一则新闻都让他感到战栗。他的良心越来越感到不安,仿佛所有这些评论都是向他发出试探。他并不清楚人们怎么会怀疑他了解谋杀的实情,可他听到人们的闲聊仍然感到深深的不安。他一直浑身打着寒战。他把哈克叫到没人的地方,跟他商量。能找到机会把心里话说给另一个患难知己,对他是个安慰。另外,他想要弄明白,哈克是不是严格保密。

"哈克,你跟任何人说过……那事没有?"

"什么事?"

"你知道是什么事。"

"噢,当然没有。"

"从来没说过一个字?"

"一个字也没提过。你怎么会想起问这个?"

"唉,我害怕。"

"为什么,汤姆·索亚?那事要是叫人知道了,我们连两天也活不到。这你知道的。"

汤姆稍感安慰。过了一会儿,他说:

"哈克,谁也不会逼你说出真话,对不对?"

"逼我说?嗨,我要是想叫那个野蛮人把我淹死,他们才能逼我说。除此之外没有别的方法。"

"那好吧。我敢打赌,我们只有保持沉默,才能保证安全。不过,咱们还是再发一回誓吧。这样更保险些。"

"我同意。"

于是,他们再次庄严发誓。

"人们在谈论些什么,哈克?我听到许多说法。"

"谈论?嗨,说的全都是穆夫·波特,穆夫·波特,穆夫·波特。我听了浑身直出冷汗,就想躲起来。"

"我周围的人也是一样。我看他没指望了。有时候,你是不是替他难过?"

"俺总是这样,总是替他难过。他是冤枉的,而且他没干过任何害人的事,就是会钓钓鱼,有了钱就去喝酒,游手好闲的。可是,咱们还不也这样,至少咱们大多数人都这样,牧师之类也是。他是个好人,有一次还给了我半条鱼呢,当时俺家两口子都没吃的了。还有好多次,咱背运的时候,他总是站在我这边,安慰我。"

"哈克,他有一回替我修过风筝,还替我拴过钓鱼钩。要是咱们能救他就好了。"

"老天!咱们可救不了他,汤姆。再说啦,那根本没用,他们反正还要逮住他。"

"没错,他们会逮住他的。可我讨厌人们骂他是个杀人犯,可他根本就没干……没干那事。"

"我也讨厌。天哪,汤姆,我听人们说,他是这个地方最凶恶的恶棍,他们还说,真奇怪以前怎么没把他吊死。"

"他们是这么说的,总是说这种话。我还听人们说,要是他跑出来,他们就要对他动私刑。"

"我也听人们这么说。"

两个孩子交谈了挺长时间,可是并没有从中得到多少安慰。黄昏时分,他们不知不觉来到那个孤零零的小监狱附近。大概他们潜意识中希望,会发生某种事情,排除他们的困难。可是什么事情也没有发生。看起来,天使和仙女都没有对这个倒霉的囚徒发生兴趣。

两个孩子像往常一样,到铁窗跟前,给了波特点烟草和火柴。他关在底层,没有卫兵看守。

以前,他对他们送礼的感激总是让他们的良心感到不安,这次,他们的不安更深。波特的一番话让他们觉得自己简直是胆小鬼,是叛逆:

"孩子们,你们对我太好了,比镇子上任何人对我都好。我不会忘记的,不会的。我常常对自己说:'我常常给所有孩子们修风筝之类东西,告诉他们在哪儿能钓住鱼,我喜欢跟他们交朋友,可现在老穆夫遇上麻烦了,他们全都忘了老穆夫。可是汤姆没忘,哈克没忘。'我对自己说,'他们没忘,我也不会忘记他们。'孩子们哪,我干了桩可怕的事情,当时喝了酒,昏了头,我想准是这么回事。现在我回想起来,只能是这么回事。唉,咱们不说这事了。我不想让你们觉得难过。你们对我这么好。我要告诫你们,千万别喝醉,也就不会上这个地方来了。你们稍稍靠西面站一点,好,就这样,在我这么倒霉的时候,能看到两张友好的面孔,真是种享受。你们轮流爬到对方脊背上,让我摸一摸。对,就这样。握握手。你们能从铁栅栏里爬进来,可我的身体太大。小手手,这么嫩,可是能给穆夫·波特力量。他们能帮他的大忙呢。"

汤姆回到家,觉得难过极了。这天晚上,他做的梦里充满了恐怖。第二天和第三天,他在法庭外面闲荡,几乎无法抵御进去的诱惑。可他强迫自己不能进去。哈克也是一样。他们竭力相互避开。他们不时地徘徊而去,可是,同样阴郁的诱惑总是很快就把他们吸引回来。一旦有人从法庭闲逛出来,汤姆就竖起耳朵听,传出来的消息总是让他伤心。形势对可怜的波特越来越无情。第二天傍晚,镇上的人们交谈说,印第安·乔伊的证据像铁板上钉钉一样,不可动摇了。人们对陪审团要做出什么裁决已经丝毫也不怀疑。

那天晚上,汤姆很晚才回家。他从窗户里爬进卧室,上床睡觉。他激动得要命,好几小时都睡不着。全镇上的人第二天早上聚集在法庭,因为这是个决定性的日子。旁听的人群中男人女人都有。长时间等待过后,陪审团列队走进来就坐。不久,波特戴着铁链镣铐被带进来,他脸色苍白,形容憔悴,又绝望又胆怯。他坐在大家都能看到的位置上。印第安·乔伊也坐在明显的位置上,神色像往常一样麻木呆滞。又是一阵沉默,法官到了,警长宣布开庭。律师们照例交头接耳,整理文件。这些细节和耽搁制造了一种给人深刻印象的气氛。

证人传唤上来,他证实看见穆夫·波特在一条小河里洗涮过,时间是在发生谋杀那天早上天蒙蒙亮的时候,而且他感到有人,立刻鬼鬼祟祟溜走了。公诉人提了几个问题后,说:

"请辩护方提问。"

囚犯举起目光,片刻后又垂下眼睛。他的律师说:

"没有问题。"

下一个证人证明在尸体旁发现了刀。公诉人说:

"请辩护人提问。"

"没有问题。"波特的律师回答。

第三个证人宣誓后说,他经常看见波特带着这把刀。

"请辩护人提问。"

波特的律师谢绝提问。旁观者脸上开始露出恼怒的神色。难道这个律师一点努力都不做,就这么随意丢掉委托人的性命?

几个证人作证,描述了波特被带到杀人现场时的心虚表现。他们都是在没有受到提问的情况下离开证人席的。

那天早上在杀人现场发生的所有细节都由有信誉的证人举证。但是波特的律师一个问题都不提。法庭旁听席传来一阵抱怨的低语声,显然大家都感到迷惑和不满,律师的作为激起大众的谴责。公诉人这时说:

"根据这些公民的誓言,他们的证词不容置疑。我们认定,这种可怕罪行是牢笼中那个犯人犯下的。我们要求判决。"

可怜的波特发出一个呻吟,双手捂住面孔,微微前后摇晃身体,法庭里一片痛苦的沉寂。许多男人为之动容,许多女人流出同情的泪水。辩护律师站起身说:

"法官大人,我们在本案开始时提出有罪辩护,当时提出,我的委托人是在酒后不能自持的精神错乱情形下干了这桩不该承担法律责任的可怕行为。我们现在改变初衷。我们要改为无罪辩护。"他转向法警,"传唤托马斯·索亚!"

法庭中每一张面孔都露出迷惑和惊讶的神色,就连波特也不例外。汤姆起身走到证人席。每一双眼睛都惊奇地盯着他。孩子显得情绪非常激动,他吓坏了。法官要他宣誓。

"托马斯·索亚,六月十七日午夜时分,你在哪里?"

汤姆朝印第安·乔伊瞥了一眼,他的舌头不能动弹。听众屏住呼吸倾听着,可他一个字也说不出来。过了一小会儿,男孩稍稍恢复了一点精力,将力气全用在声音上,法庭里一部分人听到了他的声音:

"在坟地!"

"请稍稍提高点声音。别害怕。你在……"

"在坟地。"

印第安·乔伊的脸上闪过一丝轻蔑的微笑。

"你在的地方是不是离霍斯·威廉斯的坟墓比较近?"

"是的,先生。"

"声音大些,稍稍大些。离那儿有多近?"

"就像我跟你的距离一样。"

"你是藏起来的,对不对?"

"我是藏着的。"

"在哪儿藏着?"

"在坟地边上的榆树后面。"

印第安·乔伊吃了一惊,可是他的表情很难察觉。

"当时有没有人跟你在一起?"

"有的,先生。跟我一起去的有……"

"等一等。别提你那伙伴的名字。我们会在适当时机传唤他的。你去的时候带什么东西了没有?"

汤姆迟疑片刻,显得有些迷惑。

"说吧,孩子,别害羞。真话从来是受人尊敬的。你去那儿带着什么东西?"

"只有一条……一条……死猫。"

人们哄笑。法官制止。

"我们会出示那只猫的尸骨。好,我的孩子,把发生的一切都告诉我们。用你自己的话说,什么也别漏掉,别害怕。"

汤姆开始讲述。起初有些踌躇,但是渐渐走上正题后,话语越来越流畅。不久,他就用自己习惯的方式滔滔不绝地讲述。每一双眼睛都盯在他身上,人们半张着嘴,大气都不敢喘一口,忘记了时间,全神贯注于那个恐怖而吸引人的故事。当他说出下面这句话时,人们积聚的情感冲向了高潮:

"……大夫挥动木板,穆夫·波特被打倒在地,印第安·乔伊抓着刀几步跳过去,然后……"

哗啦啦!快得像闪电一样,那野蛮人跳起身,推开所有对付他的人,从窗户冲了出去,不见了!

# 第二十四章

汤姆再次成了个灿烂夺目的英雄——年纪大的人宠爱他,年轻孩子们羡慕他。他的名字甚至印在报纸上,镇子的报纸对他大为赞扬。不过,有的人认为,假如他将来能逃脱被绞死的厄运,恐怕能当总统。

不合情理的世界像往常一样,对穆夫·波特敞开了胸膛,将爱施予他,与原来虐待他的程度相比毫不逊色。不过,这种行为便是世俗的信誉,因此也没什么好追究的。

汤姆的白昼是在煊赫与狂喜中度过的,可是,他的夜晚却充满了恐惧。印第安·乔伊的形象总是出没于他的梦境,总是让他的眼睛看到厄运。天一黑,任凭什么样的诱惑也休想让他走出家门。可怜的哈克也处于同样悲惨恐怖的心境。汤姆是在决定性的审判前一天晚上,把整个事情告诉律师的。哈克害怕得要命,唯恐自己参与的事情被泄露出去。尽管印第安·乔伊提前逃走,省了他在法庭作证,可是,这个可怜的娃娃还是要求律师发誓替他保密。可这有什么用?既然汤姆迫于良心不安,能在深夜带他去了律师家,这就把最强有力、最不可破的誓言抛到了一边,哈克对人类的信誓完全失去了信心。

每一个白昼,汤姆都为穆夫·波特的感激所感动,认为讲出实话做得对。每一个夜晚,他都后悔不该管不住自己的嘴巴。

有一半时间,汤姆恐怕印第安·乔伊永远也不能被捕归案;在另一半时间里,他又害怕他被捕。他深深感到,只有那个人死去,并且亲眼看见他的尸体,他才敢放心地呼吸。

悬赏令发出了,整个地方被搜索了一遍,可是根本没有发现印第安·乔伊的影子。从圣路易斯来了个侦探,这种职业让人觉得,他们无所不能,令人敬畏。侦探到处探索,摇着脑袋,显出机敏神色,做了干这行的人常做的事情,有了惊人的发现,也就是说,他"找到了线索"。可是线索不能把杀人犯绞死呀。侦探查不出更多东西,回家了。汤姆感到比以前更加不安全。

漫长的日子一天天过去,每一天都比前一天更让人恐惧。

# 第二十五章

每个正常男孩的生活中,都有一个奇怪的时期,到了这时候,他就想跑到某个地方去挖掘宝藏。一天,汤姆突然产生了这种欲望。他跑出去找乔伊·哈珀,没找着。接着,他去找本·罗杰,可是本去钓鱼了。他偶然遇到了"血染双手"哈克·费恩。哈克也成。汤姆把他拉到一个隐秘的地点,神色诡秘地把自己的想法讲给他听。哈克愿意合伙。凡是有乐趣又用不着投资的事,哈克都愿意插手。他的富余时间多的是,就愁打发不完,可就是一个子儿也没有。

"咱们在哪儿挖?"哈克问。

"哦,恐怕哪儿都能挖到。"

"怎么,到处都藏着钱?"

"当然不是。财宝总是藏在特别的地方,哈克。有时候在岛屿上,有时候在一棵死树下面的腐烂木箱里,就是那种晚上影子最浓的地方。不过最常见的地方是闹鬼的房子地板下面。"

"财宝是谁藏的?"

"这还用问,当然是强盗们,你以为会是什么人?主日学校的校监?"

"我不知道。我要是有钱,才不藏起来呢,我就把钱花光,美美地享受。"

"我也是。可是强盗们不这么干。他们总是把钱藏起来,再也不去挖。"

"他们真的再也不回去找了?"

"对。他们以为自己会去找的,不过,一般来讲,他们总是要把记号忘掉,要不就是死了。反正财宝就一直埋在那儿,时间一长就腐烂了。后来,就有人找到一张发黄的旧纸片,上面写着上哪儿去找。这种纸片准得让人猜上一个星期,因为上面净是些符号和草图。"

"草兔?"

"草图——就是画的图之类,看上去好像什么意思也没有。"

"你得到一张这种图,对不对,汤姆?"

"没有。"

"那你咋找标记?"

"我什么标记也用不着。他们常常把财宝埋在闹鬼的房子里,或者埋在一个岛上,要不就是埋在伸出一根树枝的死树下面。咱们去过杰克森岛,找个时间再去试试。空巷那头就有个闹鬼的房子,再说,死树枝多的是。"

"每棵树下面都有?"

"你怎么知道没有?"

"那你怎么知道在哪棵树下挖?"

"在每棵树下挖!"

"哎哟,汤姆,那可要挖整整一个夏天呢。"

"嗨,那算什么! 想想吧,假如挖出个铜罐子,里面有一百美元的金币,全都锈巴巴的,要不就是一个腐朽的大木箱,里面装满了钻石。那多值呀!"

哈克的眼睛在放光。

"那可太棒了。对我来说实在太棒了。就把一百美元给我,我不要钻石。"

"好吧。不过我敢打赌,你不会把钻石白白扔掉。有的钻石每颗要值二十美元呢。很少有低于六分钱的或者一美元的钻石。"

"是吗? 真的?"

"当然。谁都知道这个。哈克,你从来没见过钻石?"

"不记得见过。"

"噢,国王们有大量钻石呢。"

"可我不认识国王,汤姆。"

"我知道你不认识。要是你去欧洲,就会见到许多国王跳来跳去。"

"他们跳着走路?"

"跳? ——你这傻瓜! 不!"

"那你刚才是怎么说的?"

"嗨,我的意思是说,你能看见他们,不是跳,当然不是,他们干吗要跳? 我的意思是说,他们到处都是,知道了吧,就是说多。就像那个驼背老理查德。"

"理查德是谁? 他姓什么?"

"他没有姓。国王只有名没有姓。"

"没有姓?"

"就是没有。"

"好吧,既然他们喜欢那样,那就好,汤姆。不过我可不想当个只有名没有姓的国王,那不跟黑鬼一样了? 不过,我说,你要先在哪儿挖?"

"嗯,我不知道。要不咱们先到背街那头的小山上,在那棵老死树下挖?"

"我同意。"

于是,他们找了把烂镢头和铁锹,开始三英里的跋涉。到达之后,他们气喘吁吁浑身热得要命,倒在附近一棵榆树的阴凉里休息,抽烟。

"我喜欢这个。"汤姆说。

"我也喜欢。"

"我说,哈克,要是咱们在这儿发现了财宝,你打算拿你那份怎么办?"

"我嘛,我要每天吃块馅饼,喝杯汽水,见了马戏我就看。我看我要享福啦。"

"你不打算攒下点?"

"攒钱?干吗攒钱?"

"用来慢慢过日子嘛。"

"噢,那没用。要是我花得慢点,俺爹有一天回来会抢走的,他马上就会把钱花光。你那份打算怎么花,汤姆?"

"我要买个新鼓,一把新宝剑,一条红领带和一条狗,我还要结婚。"

"结婚!"

"对。"

"汤姆,你……怎么啦,你脑子不正常了吧?"

"等着瞧吧。"

"结婚是最傻不过的事啦。看看俺爹和俺娘。打架!以前他们总是打个没完。我记得,总是打。"

"没事。要跟我结婚的女孩不会打架。"

"汤姆,我敢打赌,她们全都一个样。她们都会梳头。你最好考虑考虑。我告诉你,最好考虑。那闺女叫什么?"

"那不是个闺女——是个姑娘。"

"反正都一样。有人叫闺女,有人叫姑娘,都没错,反正一个样。她叫什么名字,汤姆?"

"以后再告你,现在不成。"

"好吧,那也行。只是,你结了婚我就更孤单了。"

"不会的。你来跟我一起住。好啦,别扯这些,咱们挖吧。"

他们干了半个小时,累得浑身大汗。没有结果。他们又挖了半个小时。还是没结果。哈克说:

"他们总是把财宝埋得这么深?"

"有时候挺深,不见得总是这么深。一般不是这么深。我看咱们没找对地方。"

他们另选个地方,再次开始。干活速度慢了下来,不过还是有进展。他们默默地干了一会儿。最后哈克靠在铁锹上,用袖子擦了一下眉头上的汗,说:

"这个之后,你要在哪儿挖?"

"恐怕咱们该到卡迪夫山后面,在寡妇家那棵老树下面挖。"

"我也看出那儿不错。可是,寡妇会不会把咱们挖的东西要走,汤姆?那是她的地。"

"她要走?她可以自己挖。财宝这东西,谁挖着是谁的。在谁的土地上根本没关系。"

这一点得到满足,工作继续干。不久,哈克问:

"该死,咱们准是又挖错地方了。你看呢?"

"真奇怪,哈克。我简直弄不明白。有时候,巫婆在捣鬼。我敢打赌,也许问题出在这儿了。"

"呸!巫婆白天没有魔力。"

"嗯,没错。我想也是这样。噢,我知道是怎么回事了!咱们真是两个傻瓜!咱们得弄清楚,到了晚上,树枝的阴影在哪里,就得在那儿挖才行!"

"真倒霉,咱们这么乱挖了半天,白干了。去它们的吧,咱们得在晚上来。路这么远,你能出来吗?"

"我看我能。咱们今天晚上来吧,要是有人看见这些坑,马上就知道这儿有什么,他们就会来挖。"

"那我今晚上你家外面学猫叫。"

"好的。咱们把工具藏在草丛里。"

那天夜里,到了约定的时间,两个男孩又去了。他们坐在阴影里等待。那是个孤独的地方,古老的传说让他们觉得这是个庄严的时刻。幽灵在瑟瑟作响的树叶间低语,鬼魂躲藏在黑黢黢的角落,远处飘来猎犬低沉的狂吠,猫头鹰的回答像来自坟墓里的声音。两个男孩被庄严肃穆的夜色震悚了,他们很少交谈。不久,他们觉得时间已经到十二点了,他们给阴影作了标记,然后开始挖。心头的希望开始升起。兴趣越来越强烈,力气也随之增长。坑越挖越深。锄头每碰到某种东西,他们的心就猛地一跳,可是每次都惨遭失望。不过是块石头。最后,汤姆说:

"没用,哈克,咱们又错了。"

"不可能错呀,咱们给阴影作了标记。"

"这我知道,可是还有别的问题。"

"还有什么?"

"嗨,咱们只是猜了猜时间,很可能迟点或者早点。"

哈克扔下铁锹。

"对,"他说,"问题就出在这儿。咱们只好放弃这地方。咱们不知道是什么时间,再说,这种事情太可怕了,在这么个时间,这么个地方,到处都有鬼魂飞来飞去。我觉得,后面老是有东西,又不敢回头,因为怕前面有东西等找机会。我一来这儿就到处偷看。"

"我也是,哈克。他们一般总是在埋财宝的树底下埋个死人,让死人守着财宝。"

"老天爷!"

"真是这样。我常常听人这么说。"

"汤姆,我不想在有死人的地方乱跑。我敢肯定,遇上死人准要倒霉。"

"我也不喜欢跟他们打交道。恐怕这儿的死人会突然蹦起来,骷髅张开嘴说话!"

"别!汤姆!那太可怕了。"

"哈克,真是这样的。我也觉得有点不舒服。"

"我说,汤姆,咱们别在这儿挖,换个地方吧。"

"好的,我看咱们最好换地方。"

"上哪儿?"

汤姆考虑了一会儿,说:

"闹鬼的屋子。就是那儿!"

"该死,我可不喜欢闹鬼的房子,汤姆。那儿有死人。死人大概还会说话呢,不过,你要是注意,会看见他们穿着裹尸布来回飘荡,突然趴在你肩膀上偷看,还要磨牙齿。鬼都是那样。我可受不了那种事。谁也受不了。"

"不错。不过,哈克,鬼只有到了晚上才会到处跑。咱们白天挖,他们不会打扰。"

"这话不错。可是,你知道得很清楚,那个闹鬼的房子不论白天黑夜都没人去。"

"那主要是因为他们不喜欢去杀过人的房子,可是,除了在黑夜,谁也没见那里发生过什么事。只有点蓝光从窗户里泻出来。不是一般的鬼魂。"

"汤姆,凡是有蓝光的地方,准有鬼魂在后面。这是有道理的。因为,你知道的,只有鬼魂才用蓝光。"

"对,这话不错。不过,他们反正白天不出来,咱们怕什么?"

"好吧。既然你这么说,那咱们就去鬼屋子挖。可我觉得太冒险。"

他们出发朝山下走。月光照耀的山谷中间是那座鬼屋子,房子孤零零的,周围什么也没有。篱笆早已破败,门槛上长着高高的野草,屋顶上的烟囱破碎了,窗户上没有玻璃,屋顶一角塌陷下去。两个男孩盯着看了一会儿,心里期待着,或许能看到窗户里摇曳的蓝光。此时此地,环境迫使他们压低声音交谈。他们转向右边,绕着鬼屋子兜了大半圈,穿过卡迪夫山后面的树林,朝回家的路走去。

# 第二十六章

第二天中午,两个男孩来到那棵死树前取工具。汤姆急着要

去那鬼屋子,哈克有点犹豫。哈克突然说:

"我说,汤姆,你记得今天是星期几?"

汤姆脑子里计算着,忽然抬起目光,显出吃惊的神色:

"天哪!我根本没考虑过,哈克!"

"是啊,我也没想。不过我猛地想起今天是星期五。"

"真该死,一个人哪能记这么清楚呢,哈克。星期五干这种事说不定要倒霉。"

"说不定!最好说准得倒霉!也许其他日子比较好,可是星期五不好。"

"傻瓜都知道这个。我敢打赌,这事不是你首先发现的。"

"我从没说过是我发现的,对不对?星期五的确不好。我昨晚做了个倒霉的梦,梦见了老鼠。"

"真的!肯定是糟糕的预兆。它们打架没有?"

"没有。"

"噢,那还好,哈克。要是老鼠没打架,那就只是预兆着周围可能有麻烦,你知道吧。咱们只要当心,别让麻烦缠住就成了。咱们今天不干这事了,玩吧。你知道罗宾汉吗,哈克?"

"不知道。谁是罗宾汉?"

"这也不知道,他是英国最了不起的人,也是最好的人。他是个强盗。"

"真疯狂,真希望我也是强盗。他抢什么人?"

"只抢当兵的、主教、富人和国王之类。不过他从来不害穷人。他热爱穷人,把抢来的东西分给他们。"

"噢,那他准是条好汉。"

"我向你保证,他是条好汉,哈克。哦,他是有史以来最高尚的人。跟你说吧,现在可没有这种人了。他就是把一只手捆在身后,都能打败英国的任何人。他能用紫杉弓在一英里半以外射中一枚一毛钱的硬币,一射一个准。"

"什么是紫杉弓?"

"我不知道。当然是一种射箭用的弓啦。要是他射住的是一毛钱硬币的边缘,准会跪在地上大哭。咱们玩罗宾汉游戏吧,肯定有趣。我教你。"

"我同意。"

他们玩了整整一下午罗宾汉的游戏,一边玩,一边不时朝鬼屋子投去一瞥,说上两句关于明天那边可能有什么情况的话。太阳西沉时,他们踏着树木投下的长长的影子回家,很快便消失在卡迪夫山的丛林之间。

星期六,刚过中午,两个男孩再次来到那棵死树跟前。他们在树阴下抽烟闲聊了一会儿,在他们上次挖的坑里稍稍挖了挖,心里并不抱多少希望,只是因为汤姆说,在很多情况下,人们在挖到只差六英寸的地方,却放弃了宝藏,别人来了只挖了一铲,就挖出来了。不过,他们这次却没有成功。孩子们扛上工具,心里觉得,没有把财富当儿戏,凡是找宝该干的事情,他们都兢兢业业地完成了。

他们来到闹鬼的房子跟前。毒烈的阳光下,房子一片死寂,又吓人又怪异。这地方荒凉孤单,让人觉得阴沉沉的。他们踌躇着,心里害怕,不敢进去。后来,他们溜到门外,心惊胆战地朝里面窥视。他们看见,屋子里没有地板,地上长着杂草,墙上没有抹白灰,壁炉是用石头乱砌的,窗户上没有玻璃,楼梯已经破烂不堪,到处都挂着陈旧的蜘蛛网。他们脚步轻轻地走进去,心在狂跳,说话时把声音压得低低的,竖起耳朵仔细倾听,一个声音也不放过,肌肉绷得紧紧的,随时准备逃跑。

过了一阵子,他们渐渐熟悉了这地方,不再害怕,好奇地仔细打量着周围,同时佩服自己的胆量,也为自己的行为感到惊奇。下一步,他们要看看楼上。这就像破釜沉舟,断了逃跑的退路。可他们不能不相互比赛谁更有胆量,当然啦,只能有这一种结果。他们把工具扔在一个角落,往上爬。楼上也是一样的破败景象。在一个角落有只箱子,仿佛藏着神秘,结果里面什么都没有。这时,他们有了勇气。他们正准备下楼开始干活,突然……

"嘘!"汤姆说。

"怎么啦?"哈克吓得脸色惨白,压低声音问。

"嘘……听! ……听见啦?"

"听见了! ……啊,天哪! 咱们跑吧!"

"趴着别动! 一动也别动! 他们朝这扇门走过来了。"

两个男孩身子贴在地板上,耳朵附在地板的一个木节子孔上,趴着等待,害怕得要死。

"他们站住了……不,来了……就在这儿。别再说话了。我的天。要是能离开这儿就好了!"

两个男人走进房子。每个男孩心里都在说:"是那个又聋又哑的西班牙老家伙,这人最近来过镇子上一两回,另一个人从来没见过。"

"另外那人"是个衣衫褴褛蓬首垢面的人,面孔上没一处让人喜欢。西班牙人身上披着块花毛布,留着粗粗的白八字胡,墨西哥大草帽下面拖着长长的白头发,鼻子上架着一副绿墨镜。他们进来的时候,"另外那人"压低声音说话。他们坐在地上,面对门,背靠墙,继续说着话。他放松了警惕,说的话也渐渐清楚了:

"不,"他说,"我整个考虑了一遍,可我不喜欢。太危险了。"

"危险!"那个"聋哑"西班牙人开了口,两个男孩大吃一惊。"胆小鬼!"

这声音把两个男孩吓得屏住了呼吸,浑身颤抖。是印第安·乔伊的声音! 沉默片刻后,印第安·乔伊说:

"比起那边的活计,这算什么危险!"

"那可不一样。离上游那么远,周围一座房子也没有。要是不成,谁也不知道我们干过。"

"什么不比大白天上这儿来更危险! 见了我们的人都会疑心。"

"这我知道。可是干完那桩倒霉事,没一处可去。我想离开这个破房子。昨天就想走,在这儿干不成,该死的孩子们在山上玩耍,把我们看得清清楚楚。"

"该死的孩子们"听了这话吓得战抖起来,又觉得非常幸运,因为想起昨天是星期五,决定等待一天。现在,他们心里真希望不是等了一天,而是一年。

两个男人取出食物,吃午饭。长长的沉默和思索过后,印第安·乔伊说:

"我说,伙计,你回到上游去,那是你的地盘。在那儿等着听我的信。我要冒险再闯进这个镇子一回,看一看。等我搞清楚周围形势,没问题了,咱们要干那桩'危险'活计。然后,咱们一起去得克萨斯州!"

这主意看来比较满意,两个男人不久便开始打哈欠。印第安·乔伊说:

"我瞌睡死了!该你守望了。"

他蜷起身子躺在杂草上,很快就打起了呼噜。他的伙伴动了他一两下,自己也安静下来。不久,守望人也开始打瞌睡,脑袋越垂越低,两个人都打起了呼噜。

两个男孩长长舒了口气。汤姆低声说:

"机会来了——走!"

哈克说:

"不行……他们要是醒了,我就没命了。"

汤姆督促,哈克踌躇。最后,汤姆蹑手蹑脚缓缓爬起来,独自动身。他迈出第一步,该死的地板就发出可怕的嘎吱声,他几乎给吓死,连忙趴下,再也不敢尝试。两个男孩趴在那里一动不动地捱时间。他们似乎觉得,时间已经停止了,永恒的胡子也变成了灰白色。他们庆幸太阳终于开始落山。

这时,一个鼾声停止了。印第安·乔伊坐起身,朝四下盯着看了看,朝他的同伴狞笑一下,见他的脑袋耷拉在膝盖上,踢醒他说:

"嘿!该你守望,对不对!倒是什么也没发生。"

"天哪！我睡着了？"

"喔，只是一小会儿，没睡死。该走了，伙计。咱们把财物搁哪儿？"

"我不知道——像往常一样，留在这儿好了。咱们去南方前用不着。六百五十美元的银币带着是个不小的负担。"

"那好吧。再来这儿一趟也没关系。"

"是啊。可我说，咱们得像以前一样，晚上来，那样好些。"

"不错。不过听我说，恐怕我得等好长时间，才能找到下手机会。可能发生意外，这不是个很好的地方。咱们把钱埋起来，埋得深点。"

"好主意。"那个伙伴说。他走到屋子另一头，跪下来，掀起壁炉里面的石头，取出一个袋子，里面发出好听的叮当声。他从袋子里数出二三十美元给自己，同样的数目给印第安·乔伊，把袋子递过去，印第安·乔伊跪在屋子一角，用猎刀挖坑。

孩子们立刻忘记了恐惧和所有的不幸，贪婪地望着每一个活动。幸运！美妙得简直无法想像！六百美元的大洋钱，足够让六个孩子成为富翁！这可是最幸福的寻宝——根本用不着为寻宝地点发愁。他们俩不断地相互用胳膊肘子戳，意思当然非常明白："哈，现在，咱们能在这儿难道你不高兴！"

乔伊的刀碰到一个东西。

"哎呀！"他说。

"怎么？"他的同伙问。

"一块半朽的木板——不，我看是个箱子。来，帮我一把，咱们看看它怎么放在这儿。我来砍个洞。"

他伸手把箱子拖出来……

"我的天，是钱！"

两个男人查看着手里的硬币。是金币。楼上的两个男孩像他们俩一样激动，一样欣喜。

乔伊的同伙说：

"咱们得快点干。我刚才看见,壁炉那边屋角的野草里,有个锈巴巴的破镐头。"

他跑过去,取来孩子们的镢头和铁锹。印第安·乔伊抓起镢头,仔细审视着,摇了摇头,自言自语着喃喃两句,开始刨地,很快便挖了出来。箱子并不大,是铁皮包的,以前可能非常结实,只是年代久远,已经腐朽。两个男人喜滋滋地注视着财宝。

"帕德,这儿有好几千美元呢。"印第安·乔伊说。

"据说,默雷尔帮的人有一个夏天曾经在这一带活动过。"陌生人说。

"我知道。"印第安·乔伊说,"我看,是他们埋的。"

"这下,你用不着干那桩事了。"

野蛮人皱起眉头说:

"你不了解我。至少你不清楚那桩事。那根本不是抢劫,是报仇!"他的眼睛里闪出凶光。"我需要你的帮助。等到事情了结了,就去得克萨斯,回家找你的南希和孩子们。等着听我的信。"

"好吧,既然你这么说。咱们怎么处置这个,再埋起来?"

"对。(上面两个孩子喜不自禁)不!以大酋长的名义,不!(上面深感沮丧)我险些忘了。那个镐头上沾着新土!(两个孩子一时吓得掉了魂。)这儿怎么会有镐头铁锹?上面怎么会有新土?谁把它们拿到这儿来的?人哪儿去了?你听到人的声音没有?看到什么人没有?把财宝埋起来,让他们来了看见地面新挖过?绝对不行。咱们把它运到我的洞穴里。"

"可不是嘛,当然该这样!刚才就应该考虑到这些。你是说运到第一号?"

"不,第二号,在十字下面。其他地方不行,太普通了。"

"好吧。时候不早,该行动了。"

印第安·乔伊站起身,走到一个个洞开的窗户跟前,小心翼翼地朝外面窥视。然后,他说:

"谁可能把这些工具带到这儿来呢?你想,他们是不是在楼上?"

孩子们险些闭了气。印第安·乔伊握住刀,迟疑片刻,然后转身走向楼梯。孩子们开始考虑朝壁橱里钻,可是浑身力气都没了。楼梯口传来咯吱声。无法忍受的形势唤醒了孩子们的决心,他们正打算跳起身奔向壁橱,忽然听到腐朽的楼梯木板碎裂的声音,印第安·乔伊摔下去,跌在朽木楼梯碎片中间。他咒骂着爬起身,他的同伙说:

"这是干什么?要是上面有人,就让他们呆在那儿好了,谁在乎呢?要是他们准备跳下来,惹麻烦,谁反对呢?再过十五分钟,天就黑了,要是他们愿意,就跟踪咱们好了。我很乐意。照我想来,不论是谁,如果他们想挖出这些东西,见了我们,准以为见了鬼,我敢打赌,他们已经吓死了。"

印第安·乔伊抱怨了一阵,然后同意他那朋友的意思,该趁着天还没黑,赶紧收拾东西离开。没过多久,他们在越来越昏暗的暮色中溜出房子,带着珍贵的箱子朝河边走去。

汤姆和哈克爬起身,虽然浑身发软,但是深感幸运。他们顺着房子的圆木墙壁裂缝爬下去。跟踪?他们可不敢。他们下到地面,没摔折脖子就感到很满足,然后循着翻越小山的路,朝镇子走去。他们没有多谈话,心里痛恨自己,诅咒倒霉的运气,悔不该把铁锹镐头放在那个地方。要不然,印第安·乔伊绝对不会生疑。他准会把银币和金币埋在一起,等到"报复"过后再取。到那时,他会发现,钱不见了。真是倒霉透了,怎么把工具放在那么个鬼地方!

他们决定警惕那个西班牙人,等他溜到镇子来干他的报复勾当,就跟着他去"第二号",不论那是个什么地方。这时,汤姆突然产生一个恐怖的想法。

"报复?哈克,他指的是我们!"

"哇呀!"哈克几乎昏过去。

他们把事情详细分析一遍。两人走进镇子时,都愿意相信,他或许指的是别人。至少他不是指汤姆以外的人,因为只有汤姆作过证。

只有汤姆一人处在危险中！这并不能让汤姆感到多少宽慰。他想，跟大家在一起恐怕会安全得多。

# 第二十七章

这天夜里，白天的冒险经历变成梦魇，折磨着汤姆。他四次把手放在那笔丰厚的财富上，又四次让它从指缝间流走。梦境过后，醒来觉得现实更不幸。早上，他躺在床上回忆那次了不起的冒险，他注意到事情似乎远远离他而去，仿佛发生在另外一个世界，或者发生在遥远的过去。恍惚间，他觉得，那次冒险准是个梦！有一个想法让他信以为真，那些钱币太多了，不可能是真的。以前，他从没见过多达五十美元的硬币，他就像跟他年纪地位相仿的孩子一样，认为"几百"和"几千"这么大的数目只是人们嘴里说说而已，现实世界中根本不可能存在这么大的金额。至于任何人可能真正拥有一百美元，他从来没有作过这种假设。假如分析一下他那宝藏的概念，也不过是一把真正的一毛钱硬币，以及根本不可能到手的一堆想像中的美元。

不过，他仔细回顾了冒险过程，心里的认识变得清晰明确了，渐渐地，他倾向于认为，那些事情并不是梦境。他必须消除这种不确定的想法。他抓起早点，跑出去找哈克。哈克正坐在一条平底船的船舷上，双脚插在水里，百无聊赖地摇晃着，看上去显得非常忧郁。汤姆决定让哈克把话题转到冒险经历上。假如他不说，那就证明它不过是个梦。

"嗨，哈克！"

"哦，是你。"

一时无话。

"汤姆，要是咱们把那两件该死的工具留在死树那儿，就得到那笔钱了。真是太倒霉了!"

"原来不是个梦,这么说那不是个梦! 我倒真希望它是个梦。可惜不是,哈克。"

"什么不是个梦?"

"就是昨天发生的事。我有点觉得那是个梦。"

"梦! 要是楼梯没断,你可就能好好做梦了! 我昨晚做了足够多的梦,那黑眼睛西班牙鬼子总是来找我,见他的鬼!"

"不,别让他见鬼。找到他! 追寻那钱!"

"汤姆,我们永远也找不到他。一个人不至于只有一次机会,那钱已经丢了。反正我见了他吓得直发抖。"

"嗨,我也是一样。不过我倒想见到他,跟着他找到第二号。"

"第二号,不错,是它。我一直考虑这事。不过我什么也想不出来。你说那是个什么地方?"

"不知道。太深奥了。我说哈克,也许那是个房子的门牌号码!"

"对! ……不对,汤姆,不是号码。假如是号码,那就不在这个小镇子上。这儿的房子没有号码。"

"没错。让我想想。对了,准是个房间号……酒馆旅店里有的,你知道。"

"噢,真聪明! 镇上只有两家旅店,咱们很快就能找到。"

"你呆在这儿,哈克,等我回来。"

汤姆立刻动身。他不喜欢在公共场合让人看见跟哈克呆在一起。他发现,最好的旅店里,第二号房间长期住着个年轻律师,现在他还住着。在不太豪华的那家旅馆里,第二号房间是个神秘的地方,旅馆老板的小儿子说,那间屋子总是锁着,他没见过什么人出入,只有夜里才有人。他不知道这是什么缘故,心里也有点好奇,可他又有点胆怯,觉得那屋子闹鬼。他留意到,前天晚上,那屋子里有灯光。

"这就是我搞清楚的情况,哈克。我敢打赌,那就是我们要找的第二号。"

"我看准是,汤姆。那你打算怎么干?"

"我想想。"

汤姆思索了很长时间,然后说:

"我跟你说,那个第二号的后门通往那家旅馆和一个旧砖窑之间的小巷。你把能找到的钥匙都收集起来,我去把姨妈的钥匙都弄来,第一个漆黑的夜晚一到,咱们就去用钥匙试着开门。你要留意印第安·乔伊,因为他说过,要到镇子上找机会搞报复。要是看见他,就跟着他,要是他不去那个第二号,就不是那地方。"

"天哪,我可不想独自跟踪他!"

"这有什么,那肯定是在夜里。他不可能看见你。就是看见了,也可能什么都不会多想。"

"要是天很黑,我看我能跟踪他。我不……我不。我试试吧。"

"要是天黑,我就敢跟踪他,哈克。这有什么呢,他或许发现,无法报复,就带着那钱跑了。"

"不错,汤姆,这话没错。我要跟踪他。老天作证,我会的!"

"既然你这么说,那就别害怕,哈克。我不害怕。"

# 第二十八章

这天晚上,汤姆和哈克为冒险做好了准备。他们在那家旅店附近一直守望到九点以后,一个盯着小巷尽头,另一个盯着旅店的门。没有人走进旅店,也没有人出去。也没有模样像那西班牙人的客人出入旅店门。这是个天气很好的夜晚。汤姆回了家。两人商定,假如天相当黑,哈克就跑来"喵",汤姆就从窗户溜出去,用钥匙试着开门。可是夜空晴朗,到了十二点左右,哈克不再守望,钻进一只大木桶睡了觉。

星期二,两个孩子的运气仍然不佳。星期三也是一样。不过星期四夜里情况好多了。汤姆带着姨妈的旧提灯溜出来,提灯上罩着条大毛巾。他把灯藏在哈克的大木桶里,开始守望。午夜前一小时,旅店关了门,惟一的一盏灯熄灭了。没有看见西班牙人,没有人进出小巷。一切都很正常。黑暗笼罩了四野,只有远方传来的闷雷声打破寂静。

汤姆在木桶里点上提灯,用毛巾紧紧裹住,两个冒险家在幽暗中向旅店接近。哈克放哨,汤姆摸进小巷。接下来是一段焦虑的等待,哈克觉得心里压了块石头。他开始希望能看到提灯闪出的亮光,虽然那会让他吃一惊,不过,至少他能因此知道汤姆还活着。汤姆消失后,时间似乎过了好几个小时。他肯定昏过去了,说不定已经死了,也许,他在恐惧和激动中,心脏突然爆炸了。哈克在不安中不由自主朝小巷靠过来。他害怕各种可怕的东西,一时甚至希望会发生某种让他一下子闭了气的灾难。其实,他现在也只是微微地呼吸。他的心一直在狂跳,照这样下去,不久就累垮了。突然,他看见一道闪光,汤姆跑过来拉他一把。"快跑!"汤姆说:"快跑!"

这话用不着说第二遍,一次就足够了。哈克没等听见汤姆说第二遍,早已撒丫子飞奔起来,速度足有每小时三四十英里。两个孩子一口气奔跑到镇子最下游的肉铺才停住脚步。他们刚钻进肉铺的篷子,暴风雨就劈头盖脑砸下来了。汤姆刚能正常喘气就连忙说:

"哈克,实在太可怕了!我试钥匙的时候尽量手轻,可是声音还是喀啦喀啦乱响,吓得我大气都不敢出,钥匙都扭不转。我不经意扭了一下门钮,结果门开了!根本没上锁!我跳进去,把提灯上的毛巾抖下去,一看,我的妈呀!"

"什么!你看见什么了,汤姆?"

"哈克,我几乎踩在印第安·乔伊的手上!"

"不可能!"

"是真的!他就躺在那儿,在地板上睡得正香,眼睛上盖着块

142

破布片,胳膊朝两边伸展开。"

"天哪,你怎么样?他醒了没?"

"没有,我敢说,一动都没动。我抓起那块毛巾,赶忙逃命!"

"我都忘了毛巾那档子事了!"

"我没忘。要是我把它丢了,姨妈准得狠狠收拾我。"

"我说,汤姆,你看见那箱子没有?"

"我没顾上看。没看见箱子,也没看见什么十字。只看见印第安·乔伊身旁的地板上放着个酒瓶和一个锡杯。你现在知道那个闹鬼的屋子是怎么回事了吧?"

"怎么回事?"

"这还用问,是威士忌在闹鬼!也许,所有旅馆酒店都有间闹鬼的屋子,对不对,哈克?"

"恐怕是这么回事。谁能想到这种事儿?我说,汤姆,现在是个好时机,既然印第安·乔伊喝醉了,咱们把那箱子偷出来。"

"不错!你去干吧!"

哈克战栗了。

"嗯,不……我看我不能。"

"我想也不成,哈克。印第安·乔伊身旁只有一瓶酒还不够。要是他喝了三瓶,那才醉得可以,咱们才能动手。"

沉默良久后,汤姆说:

"听我说,哈克,咱们别那么做。等到印第安·乔伊走了以后再说。太吓人了。假如咱们每天晚上都守望,就能百分之百确定他是在什么时间出去,然后咱们就闪电一般把箱子弄出来。"

"好吧,我同意。我要整晚守望,每天晚上守望都行,只要你干剩下那事就行。"

"好的,我干。你只要顺着胡珀街跑一条街,在我窗户下面喵就行了,要是我睡着了,你就用石子打窗户,我准能醒。"

"同意,好主意!"

"我说,哈克,暴风雨停了,我要回家。两小时后天就亮了。你回去守望,好吗?"

"我说过要守望的,汤姆,我会去干。我要整年守望那旅店!我白天睡一整天,晚上守一整夜。"

"那样很好。可你上哪儿睡觉?"

"在本·罗杰家的干草棚里。他让我在那儿睡,他爹的黑人杰克也允许。杰克什么时候叫我替他打水,我都干,我跟他要点吃的,他也分给我。那可是个好黑人,汤姆。他喜欢我,因为我从来不显得比他高一等。有时候,我跟他坐在一起吃饭。不过,你别把这事告诉别人。人饿慌了,什么事都得干,哪管它正经不正经。"

"好吧,要是我白天用不着你,就让你睡觉,不打扰你。夜里发现什么,就跑过来喵。"

# 第二十九章

星期五早上,汤姆听到的第一桩消息让他高兴——撒切尔法官一家前一天晚上已经回到镇子上。印第安·乔伊和财宝的重要性一时降格了,贝基成了这男孩的兴趣中心。他们见面了,跟一群同学做各种游戏,十分尽兴。这天结束时,大家的满意和兴奋达到了高潮:贝基向母亲乞求,要求第二天举行早已许诺过又长期耽搁的野餐,母亲答应了。孩子喜不自禁,汤姆的欣喜也溢于言表。不到日落时分,邀请已经全都发出去。镇子上的孩子们马上开始欢天喜地做准备,满心欢喜地期待着。汤姆激动得很晚都没睡着。他满怀希望地盼着哈克的"喵",真希望弄到自己的财宝,好在第二天让贝基和参加野餐的孩子们吃一惊。可是,他失望了。这天晚上没有信号。

早晨终于来临,十点到十一点左右,撒切尔法官家门外聚集起一群欢乐喧闹的孩子。一切都已准备好,大家准备出发。上了年纪的人们不习惯让一大群孩子在自己的野餐会上捣乱。但是,孩子们有几位十八岁的女士和几个二十三四岁的年轻先生陪同,大家认为孩子们还是足够安全的。为了这次野餐,租下了那条旧渡船。不久,手提食品篮的欢乐人群便挤满了镇子的主要街道。锡德生了病,只能眼巴巴错过这次机会。玛丽留在家里照顾他。撒切尔太太最后对贝基说道:

"孩子,你今天挺晚都回不来。也许最好跟其他女孩在渡船停靠点附近过夜。"

"妈妈,那我就住在苏茜·哈珀家。"

"很好。不过要注意举止礼貌,别惹麻烦。"

开始旅行后,汤姆对贝基说:

"嘿,告诉你我们应该怎么办。咱们别去乔伊·哈珀家,应该爬到山上,在道格拉斯寡妇家过夜。她家有冰激凌!她差不多每天都有冰激凌,多得吃不完。再说,她见了咱们肯定特别高兴。"

"真的?那可太有趣了!"

贝基思索片刻,说道:

"可是,妈妈会怎么说呢?"

"她怎么会知道?"

女孩反复思量后,不情愿地说:

"我看这么做不对……不过……"

"别说'不过'!你母亲不会知道的。有什么害处?她只不过要你保证安全,我发誓,要是她想到过的话,肯定会说,去吧。我知道她会这么说的!"

寡妇道格拉斯的款待是个诱人的钓饵。汤姆的劝说很快便以胜利告终。他们俩决定,过夜计划不向任何人透露。可是,汤姆想,说不定哈克会在今天晚上向他发出信号呢。这个想法分了他的神,降低了他对今晚的期待。不过他不能想像放弃在寡妇道格拉斯家的乐趣。干吗要放弃呢?他自忖道,既然昨天晚上没有收到信号,今晚怎么就可能有信号?确定的乐趣价值远远超过了不确定的财富。他像所有孩子一样,决定向强烈的倾向低头,允许自己以后再考虑那箱钱的事。

渡船在镇子下游三英里处一个树木环抱的河湾口上停泊。人群拥上河岸。不久,远处的森林和高高的绝壁就回响着无数的喊声和欢笑声。人们搞了各种活动,个个累得精疲力竭,热得汗流浃背。不久,这群漂泊者受饥饿所迫,溜达着回到营地,开始破坏色香味俱佳的好东西。饮宴过后,大家在枝叶繁茂的橡树遮阴下休息,闲聊。渐渐地,有人嚷道:

"谁愿意钻山洞?"

大家都愿意去。一捆捆蜡烛取了出来,成群的孩子们蹦蹦跳跳向山上跑去。山洞口在半山腰上。洞口的形状是个等腰三角形。巨大的橡木门没有上闩。洞里很黑,目光看不了多远,冷得像冰库,大自然用坚实的石灰岩雕刻出完整的洞壁,上面结着冷冰冰的露水。站在幽暗的洞里,望着外面阳光照耀下的碧绿山谷,让人感到既浪漫又神秘。但是,此时此地的深刻印象很快便被冲淡,孩子们再次开始喧闹。一根蜡烛刚刚点着,立刻有许多孩子冲上去,剽悍的争抢和勇敢的捍卫过程中,蜡烛很快倒在地上熄灭。愉快的欢笑和吵闹过后,新的追逐开始了。一切活动都有结束的时候。不久,大家鱼贯穿行,走下洞内陡峭的主通道。一行摇曳的烛光朦胧间照亮了头顶上六十英尺高的堂皇穹窿。这条通道不足八到十英尺宽。每走一小段,便能看到其他堂皇的穹窿,可供人通行的岩石裂缝也变得越来越狭窄。迈克杜格尔山洞是个巨大的迷宫,弯曲的通道相互交织,谁也不知道能通向什么地方。据说,人到了里面,在错综复杂的岩石缝隙中就是漫游几天几夜,也找不到洞穴的尽头。人们可以在里面向下走,会发现下面是一层又一层迷宫,根本找不着迷宫的底。没有人真正了解这个山洞,因为根本就不可能彻底探索它。大多数孩子都熟悉其中的一部分,人们一般并不到这片熟悉的部分以外去探索。汤姆·索亚对这个山洞的了解与其他人大同小异。

队伍在洞穴内的主通道上前进了大约四分之三英里,然后,孩子们三三两两朝旁边的岔路上探索,在阴暗的走道上到处乱窜,在交叉口上突然吓唬一下朋友。结伴的孩子们可以避开其他人一个多小时却并没有走出熟悉的地段。

不久,一群又一群孩子散乱地走回到洞口。他们一个个气喘吁吁,喜不自禁,从头到脚都是粘糊糊的水滴加泥土,为这天的欢乐感到心满意足。忽然,大家吃惊地发现,欢乐中根本没有留意到时间,而此时已经接近夜晚,钟声已经不断地敲打了半个钟头。不过,这样结束一天的冒险实在是非常浪漫,因此也十分让大家满意。渡船载着疯狂的乘客冲向河心时,除了船长以外,谁都不为浪费的时间和金钱而操心。

渡船灯光闪烁着经过码头时,哈克已经开始守望了。他没有听到渡船上的吵闹声,因为孩子们都累得半死,没人有精神继续吵闹了。他知道这是一条什么船,也知道它为什么没有停靠在码头上,但是,他很快便把船的事情撇在脑后,将注意力集中在自己的正事上。夜空的云彩越来越多,夜色昏暗。十点过后,车辆的噪音停歇了,散布的灯火渐渐摇曳着熄灭,拖沓着脚步的行人消失了,镇子进入梦乡,将孤独的小守望者留给寂静和鬼魂。十一点钟过后,旅馆中的灯火也熄灭了,到处一片漆黑。哈克觉得守望了很长时间,可是什么也没发生。他的信心开始减弱。这到底有什么用处? 难道真的有用? 干吗不放弃这事上床睡觉?

一个声音闯进他的耳朵。他立刻警觉起来。巷子里那扇门轻轻关上了。他跳起身,来到那个仓库外面的角落。片刻之后,两个人擦着他走过去,一个人的胳膊底下似乎挟着个东西。肯定是那只箱子! 这么说,他们要转移财宝。为什么不把汤姆找来? 那不成,两个人会带着箱子走掉,然后就再也找不着他们了。不行,他要紧紧跟在他们身后盯梢,他要利用这漆黑的夜晚,保证自己的安全,不让他们发现。哈克沉思后走出角落,光着脚,像只猫一样悄然跟在他们身后,保持着刚能看见他们的距离。

他们在滨河街上走了三段路,然后在一个十字路口左转。接着,他们一直向前走,来到通往卡迪夫山的小径,继续向前走。他们从半山腰上老威尔士人的房子前经过,并没有停下脚步,继续向上攀登。哈克想,好,他们要把财宝埋在旧采石场。结果他们没有在采石场停下来,不停地向山上攀登。他们一头钻进高高的树丛中那条小径,消失在了黑暗中。哈克紧紧跟随,此时缩短了与他们的距离,因为他们根本看不到他。他小跑一阵,然后连忙减慢速度,惟恐跟得太近。他又走了一段,后来干脆停住脚步,仔细倾听。没有声音,什么声音也没有,只能听到他自己的心跳。猫头鹰的叫声从山丘上面传来——不祥的声音!不过并没有脚步声。天哪,难道一切都失去了!他正打算拔脚飞奔,忽然听到一个男人在离他不到四英尺的距离清嗓子!哈克的心都跳到嗓子眼上了,他赶紧把它吞下去。可他站在那里吓得浑身抖个不停,仿佛同时染上十二场疟疾,浑身软得直想立刻倒在地上。他认识这地方。他知道,再走五步就到了寡妇道格拉斯家门外的台阶。他想,好极了,让他们在这儿埋财宝吧,埋在这儿不难找到的。

这时,传来一个人的声音。声音很低沉——是印第安·乔伊:

"该死的女人,说不定有人陪着她,屋里有灯。这么晚了还不熄灯。"

"我看不见。"

这是那个陌生人的声音,在鬼屋子里听见过的那个陌生人。哈克的心被死一般的寒冷攫住了。这么说,这就是他们要搞的"复仇"行动!他的念头是赶紧逃跑。可他回忆起,寡妇道格拉斯从来对他非常慈祥,可这些人可能要谋杀她。他真希望自己有胆量向她发出警告,可他清楚,自己没这个胆子,因为他们可能跑来逮住他。他思索着这一切,时间其实很短,就在陌生人刚才说过话之后到印第安·乔伊下面这段话的空隙中。印第安·乔伊说:

"因为树丛挡住你了。从这边看看。看见了吧?"

"看见了。我看真的有人在陪伴她。最好放弃吧。"

"我马上就要离开这个国家,放弃!现在放弃,以后说不定再也没有机会了。我再对你说一遍,我不在乎她的东西,你拿去好了。她丈夫以前粗暴对我,许多次对我很粗暴,主要因为他是个法官,认定我是个歹徒。这还不算,连一百万分之一都算不上!他让我吃过一顿鞭子!在监狱前面,把我像个黑人一样鞭打!当着整个镇子的人打我!鞭打!你明白吗?他占我的便宜后死了,可我要让她偿还。"

"噢,别杀她!别干那事!"

"杀?谁说要杀?要是他在这儿,我会杀他,可我不杀她。报复女人用不着要她的命,哼!要对付的是她的脸,割开她的鼻孔,划开她的耳朵,让它变得像锯齿一样!"

"上帝呀,那可……"

"闭上你的嘴!这样对你最安全。我要把她捆在床上。要是她流血过多送了命,那能算我的错?她死了我不会为她哭。我的朋友,你来是为了帮我干这事,就为了这事才把你找来,我一个人干不了。要是你害怕,我就杀了你。懂了没有?要是我不得不杀你,我就连她一块杀掉。我敢打赌,没人能知道是谁干的。"

"好吧,既然非干不可,那就动手吧。越快越好。我浑身都在发抖。"

"现在动手?当着她的同伴?听着,你首先就要被怀疑。不行,我们要等到灯熄灭。现在不急。"

哈克感到,接下来应该是一阵沉寂,那可比谋杀人之前的谈话更可怕。他屏住呼吸,小心翼翼退后几步。他谨慎地将一只脚踏稳,用一条腿设法保持平衡,几乎摔倒,先朝一个方向倾,又朝反方向歪。然后用同样的方式换了一只脚朝后面倒退,同样的精密,冒着同样的危险。一步又一步。一根小树枝在他脚下嘎叽一声断了!他的呼吸停顿了,竖起耳朵仔细听。没有声音——绝对寂静无声。他心中升起说不出的庆幸。他开始转身。两边是墙一样高的漆树树丛,他极为谨慎地转着身,仿佛自己是一艘轮船,然后他迈着谨慎的脚步匆匆走开。到了采石场,他觉得安全了,便撒开敏捷的脚丫子,飞奔而去。他一路奔跑,下山的路上越跑越快。到了威尔士人的房子后,他拼命敲门,老人不久便从门里露出脑袋,他的两个强壮的儿子从窗户里探出头。

"怎么回事?谁打门?想干吗?"

"让我进去……快!我把一切都告诉你们。"

"你是谁?"

"哈克贝利·费恩……快,让我进去!"

"哈克贝利·费恩,是吗?我看,这可不是个能让我开门的名字!不过,放他进来吧,孩子们,咱看看是什么事。"

哈克进门后说的第一句是:"请你们千万别说是我说的。请别说出去,我敢肯定他们会要了我的命,不过,寡妇有时候是我的好朋友,所以我想说,我愿意说,可你们要保证,永远别说是我说的。"

"我的天,看来他真的有什么事要说,要不然不至于变得这样!"老人说,"说出来吧,孩子,这儿没人会说出去。"

三分钟后,老人和他的儿子们带着武器上山,端着枪踮起脚尖走进漆树树丛。哈克没有陪他们走多远。他藏在一块大石头后面,趴着倾听。长时间的沉寂让人焦心,猛然间,传来一声枪响和一个人的哭喊声。

哈克不再等着了解情况。他一个箭步跳起身,尽自己最快速度奔下山。

# 第三十章

星期日凌晨,哈克一察觉到黎明的微微光亮,立刻摸索着爬上山,轻轻敲响老威尔士人家的门。房子里的人在睡觉,不过,经历过夜晚的激动,人们一惊就醒。窗户里有人喝道:

"谁?"

哈克压低声音战战兢兢答话:

"请让我进去！是哈克·费恩！"

"这个名字任何时候都能让这扇门打开，孩子！欢迎你！"

在这个到处流浪的孩子耳朵里，这两句话真是奇怪极了，他从来没听到过这么让他愉快的话语。他的记忆中，人们从来没对他说过最后那几个字。门闩很快拔去，他走进门。人们让哈克坐下。老人和他的两个高个头儿子迅速穿上衣服。

"啊，我的孩子，我希望你一切都好。饿了吧，太阳升起来，早饭就做好了。咱们要吃顿热腾腾的饭，随便吃吧！我和儿子们本来想要你昨晚来这儿住呢。"

"我吓坏了，"哈克说，"就跑了。我一听见枪声就跑，一直跑了三英里。我来是想知道后来的事情。天没亮我就出发，就怕遇上那两个坏蛋，就算他们已经死了，我也害怕。"

"哦，可怜的小伙子，看上去你昨晚过得挺难受，这儿有张床，吃过早饭你就睡吧。那两个人没死，我们为此够难过的。按你的说法，我们知道该上哪儿找他们，所以我们就悄悄摸上去，最后到了离他们只有十五英尺的地方。漆树树丛里黑得像地窖，到了那地方，我突然觉得想打喷嚏。真是倒霉透了！我努力忍住，可是没用，非打不可，最后喷了出来！当时我在前面，手里握着手枪。打出喷嚏后，坏蛋们沙啦沙啦拨开树丛就跑，我大喊一声，'开火，孩子们！'就朝有声响的地方开枪。孩子们也开了枪。可那两个坏蛋一眨眼就跑得不见了。我们穿过树林追逐他们。我们根本没碰到他们。他们跑的时候朝后面打了一枪，子弹嗖地从我们身旁穿过，没伤着我们。我们听不见他们的脚步声了就不再追赶，下山把警察叫起来。他们召集了一个警备队，在河岸上设了防，天一亮，警长和一队警察就要在树林里搜索。我的儿子们马上就要去帮忙。我们能帮着描绘那两个坏蛋的模样，对他们大有帮助。不过，照我看，你在黑暗中看不见他们长什么模样吧？"

"我看见了。我在镇子上看见他们，一直跟着到了那儿。"

"太好了！我的孩子，快说说他们的模样！"

"一个是来过镇子上一两回的老头,是个西班牙聋哑人,另一个长相丑陋,衣裳破破烂烂的……"

"这就足够了,孩子,我们认识他们! 有一天,我们在寡妇家后面的林子里遇见过他们,他们一见我们就溜走了。孩子们,快去告诉警长,明天再吃早饭吧!"

威尔士人的两个儿子立刻出发。他们正打算离开,哈克跳起身嚷道:

"噢,请别对任何人说,是我告发他们的! 求求你们!"

"好吧,既然你这么说,哈克,不过你该为你做的事得到嘉奖。"

"噢,不要,不要! 请不要说出去!"

两个年轻人走后,老威尔士人说:

"他们不会说出去,我也不会。可是,你为什么害怕别人知道呢?"

哈克不愿解释,只是说,他对其中一个家伙太熟了,说什么也不愿意让那人知道是他告发的。要是他知道了准会杀了他。

老人再次发誓保密,说:

"你怎么会跟踪那两个人呢,小伙子? 他们看上去可疑吗?"

哈克沉默了一会儿,然后编造了一篇得体的回答:

"唉,你知道的,我是个倒霉的孩子,至少大家都这么说,我看不出有什么办法。有时候,我老想着找个新出路,觉也睡不好。昨天晚上就这样。我睡不着,半夜就在街上溜达,到了旅馆后面那个堆砖的破仓库,我靠墙坐下思索。就在这时候,那两个家伙来了,从我身边擦过去,胳膊底下还挟着个东西,我想准是偷来的。一个人在抽烟,另一个人要借个火,两人就站在我跟前点雪茄,火光照亮了他们的脸,我看见高个子那人是西班牙聋哑人,留着白胡子,一只眼蒙着眼罩。另一个是那个邋遢家伙。"

"你能借着雪茄烟头的火光看清他的破衣烂衫?"

哈克一时语塞。接着他说:

"我也不知道,可我觉得就是他。"

"然后他们继续走,你呢……"

"跟在他们身后。就这样。我想看看要发生什么事,他们样子鬼鬼祟祟的。我跟着他们到了寡妇家外面的台阶跟前。我藏在黑洞洞的地方,听见那个身穿破烂衣裳的人替寡妇求情,可是西班牙人发誓说,要收拾她,就像我昨天告诉你们的那么干。"

"什么!这一切都是那个聋哑人说的!"

哈克又出了个大错!他竭力避免暗示出那个西班牙人是谁,可他的舌头看来想要出卖自己。他几次想从这种困境中摆脱出来,可老人的眼睛直勾勾盯着他,他越解释越糊涂。后来,威尔士人说:

"孩子,别害怕我。我绝对不会伤害你。我会保护你,我会保护你的。这个西班牙人不是个聋哑人,这是你不小心说出来的。现在你掩盖不了这事啦。关于那个西班牙人,看来你知道些事情,又想保守秘密。相信我吧,把情况告诉我。相信我,我不会出卖你。"

哈克望着老人诚实的眼睛,然后弯下腰,对着他的耳朵低声说:

"那不是个西班牙人。他是印第安·乔伊!"

威尔士人险些从椅子上跳起来。他立刻说:

"现在全都清楚了。你刚才说割耳朵割鼻子,我就知道是你说话遮遮掩掩,因为白人不会搞那种报复。只有印第安人才会!"

早饭过程中,他们一直在交谈。老人说,他和儿子们上床睡觉之前干的最后一桩事情,就是拿了个提灯到台阶周围仔细查看,看有没有血迹。他们没有发现血迹,却找到一大捆……

"一大捆什么?"

那番话就是个雷电,也不至于让哈克惊得嘴唇苍白,迫不及待地突然脱口抢着问话。他的眼睛大睁,他的呼吸突然停止,等待着回答。威尔士人也惊呆了,停顿了三秒钟……五秒钟……十秒钟……然后回答道:

"一大捆强盗的工具。嘿,你这是怎么啦?"

哈克跌坐下去,尽量压低声音长喘气,心里说不出的庆幸。威尔士人严肃而狐疑地打量着他,过了一会儿说:

"是盗窃工具。你听了这个觉得非常安慰。这是为什么?你以为我们会找到什么?"

哈克被逼到角落了——一双追究的眼睛盯着他,要是能换到个合理的解释,他什么东西都愿意给。可他什么也想不出来。那双追究的目光越钻越深。他胡乱说了个不合理的解释,其实也没时间仔细思量,他就搪塞道:

"说不定是主日学校的课本。"

可怜的哈克神情沮丧得根本微笑不出来,可是,老人却乐得放声大笑,从头到脚没一处不颤抖的。完了说,这种大笑是无价宝,因为它能减少大夫账单上的数目,比什么都管用。接着他补充说:

"可怜的小东西,你脸色发白,看上去累了——恐怕还有点不舒服——怪不得轻飘飘的站也站不稳。不过你会没事的。我看,休息休息,睡个好觉,就没事了。"

哈克感到恼火,恨自己是个笨鹅,竟然暴露出让人怀疑的激动情绪,因为他从寡妇家台阶外面听到的交谈,已经知道那包东西不是财宝。他本来想着那包东西并不是财宝,可并不能确定,所以听说那包东西让人家弄到手,以为自己到手的钱财丢了。不过,总的来说,他为发生了这么桩事感到高兴,因为他已经毫无疑义,这包裹不是那包裹,因此感到非常放心。其实,一切似乎都在朝正确方向发展。财宝肯定还在第二号。这天,两个家伙肯定要被抓起来关进监牢,这天晚上,他和汤姆要把金币弄到手,而且毫不费力,也用不着害怕有人打扰。

刚吃完早饭,就听到有人敲门。哈克立刻跳起身要找个躲藏的地方,他绝对不想让人们把他跟发生的事情联系在一起。威尔士人开门让进几位女士和先生,其中有寡妇道格拉斯,他还注意到,有几群正在爬山的居民在朝台阶这边张望。这么说,消息已经传开。威尔士人不得不把昨晚发生的事讲给来访者听。寡妇不知道该怎么表达对自己保护的感激。

"夫人,这话就别提了。或许你该感谢另一个人,而不是我和我的儿子们。不过他不允许我说出他的名字。要不是他,我们根本不会去那儿。"

当然啦,这话激起人们极大的好奇心,几乎将主要问题撇在了一边。威尔士人任凭他的客人被好奇心折磨,通过他们传到全镇,可他就是不吐露秘密。大家了解到其他细节后,寡妇说:

"我躺在床上看书,看着看着睡着了,根本没听见外面的动静。你们干吗不来叫醒我?"

"我们觉得用不着打扰你。两个家伙不可能再来了,他们手头连工具都没有了,干吗要把你闹醒,吓个半死? 我的三个黑人在你房子外面守了整整半夜。他们刚刚回来。"

更多的客人来访,于是这故事讲了一遍又一遍,一直讲了两小时。

暑假期间没有主日学校。大家一早就去了教堂。这桩引起轰动的事件广为传诵。消息传来,说是两个坏蛋连影子都没发现。布道结束后,撒切尔法官的妻子随着人群从过道走出去,到了哈珀太太身边,撒切尔太太说:

"贝基难道要睡一整天? 我知道她累得要命了。"

"你家贝基?"

"是啊,"撒切尔带着吃惊的表情问,"难道她昨晚没在你家过夜?"

"当然没有。"

撒切尔太太的脸色变得苍白,跌坐在一个座位上。波利姨妈跟一位朋友喋喋不休地交谈着从旁经过。波利姨妈说:

"早上好,撒切尔太太。早上好,哈珀太太。我有个孩子不见了。我猜想,我的汤姆昨晚在你们家——在你们之中的一家过夜了吧。他现在害怕来教堂。我非得跟他算算账不可。"

撒切尔太太有气无力地摇了摇头,脸色变得更白了。

"他没在我家住,"哈珀太太说着,开始感到不安。波利姨妈的脸上显出了明显的焦虑。

"乔伊·哈珀,你今天早上看到我的汤姆没有?"

"没。"

"你最后一次是什么时间见的他?"

乔伊竭力回忆,可是不知道该怎么说。向教堂外面走的人们停下脚步。人们低声散布消息,每一张面孔上都露出不祥的预兆。人们急切地向孩子们和年轻教师们询问。大家都说,没有注意到回家途中,汤姆和贝基是不是上了渡船。当时天已经黑了,谁也没想到该查点一下是不是有人走失。一个年轻人突然脱口说出心中的恐惧:他们还在山洞里!撒切尔太太昏厥过去。波利姨妈绞着双手哭了。

警告从一张嘴传到另一张,从一群人传到另一群,从一条街传到另一条。不出五分钟,钟声狂鸣,整个镇子都调动起来了!卡迪夫山事件被淹没,成为无关紧要的小事,入室盗窃案件被遗忘,马备鞍,人上船,渡船受命起航,恐惧从产生到现在还不足半个小时,两百个男人便涌上公路河流,朝山洞进发。

漫长的整个下午中,镇子似乎成了个空无一人的死城。许多女人拜访波利姨妈和撒切尔太太,尽力安慰她们。大家陪着她俩哭泣,这样其实比说空话好得多。镇子的人全都在沉闷乏味的晚上等待消息,等到黎明终于来临时,等到的消息只有:"送蜡烛来,送饭来。"撒切尔太太几乎发了疯,波利姨妈也是一样。撒切尔法官从山洞里传回鼓励和希望,可是并没有传递回真正振奋人心的消息。

老威尔士人破晓时回到家。他浑身溅满了蜡油,满身泥土,累得精疲力竭。他见哈克仍然睡在给他安排的床上,孩子发高烧,说着胡话。医生都到山洞里去了,寡妇道格拉斯来照顾这个小病人。她说,她要尽自己最大能力照顾他,不论他是好孩子还是坏孩子,也不论他地位多么卑微，可他是上帝的子民，上帝创造的一切都不该忽视。威尔士人说，哈克有他好的一面，寡妇说：

"没错。那是上帝的标记。他没有丢掉这种标记，从来没有。不论哪种生灵，都出自上帝之手。"

上午，疲惫不堪的男人们陆续开始回到镇子上，身强力壮的人们仍旧在搜索。传回来的所有消息不过是说，人们在山洞里搜索那些从来没有人去过的角落，人们要彻底搜索每一个角落和石缝，只要是人们抵达的地方，都有摇曳的烛光，人们的呼喊声和枪声在山洞里到处回响。在一个远离人迹的地方，在洞壁发现了蜡烛烟熏出的几个字："贝基和汤姆"，另外还发现旁边有一截染上污渍的丝带。撒切尔太太认出了丝带，哭得死去活来。她说，这是她女儿留给她的最后遗物，没有什么东西比它更加珍贵了，因为这件遗物是女儿惨死前留下的最后一件纪念品。有人说，洞穴中不时能看到摇曳的烛光，听到响亮的喊声，几十个男人一齐顺着回声下去寻找，结果终归失望。并不是孩子们，而是搜索者的烛光。

三个可怕的日日夜夜单调而缓慢地过去了，镇子陷入绝望的麻木状态。谁也无心做任何事情。就连那个旅店的经营者私藏烈酒这么大的事，都难得煽起公众的激情。哈克在一段清醒的时刻把话题扯到旅店上，最后战战兢兢问道，他生病期间，那家旅店是否发生过什么事。

"发生过。"寡妇回答。

哈克惊得睁圆了双眼坐起身问：

"什么？发生过什么事？"

"烈酒！结果旅店被勒令关门了。躺下，孩子，这下你可让我放心了！"

"只告诉我一件事……就一件事……求求你！是不是汤姆·索亚发现的？"

寡妇放声大哭。"嘘，别说话，孩子，别说话！我告诉过你，你不该说话。你的病非常重！"

这么说除了烈酒没发现其他东西。假如发现的是金币,准会引起轰动。这么说,那批财宝没了——永远消失了!那她为什么哭?奇怪,她哭什么呢?

哈克的脑子里昏沉沉转动着这些想法,渐渐地,他再次昏沉沉进入梦乡。寡妇自言自语道:

"他睡着了,可怜的孩子。汤姆·索亚找到烈酒!要是有人能找到可怜的汤姆·索亚就好了!啊,现在没几个人心怀希望,也没几个身体足够强壮的人能下去搜寻了。"

# 第三十一章

现在,我们要回到汤姆和贝基在野餐那天的活动。他们俩跟着其他孩子,沿着阴暗的通道朝下攀登,观看熟悉而神奇的洞穴。人们给各处起的夸张名字更加强了他们的兴致:"客厅","教堂","阿拉丁宫殿",等等等等。不久,大家开始玩捉迷藏游戏,汤姆和贝基满怀热情跟大家一起玩,等到兴趣开始消退,他们便举起蜡烛,在弯弯曲曲的石缝间漫游,阅读石壁上用蜡烛熏出的歪歪扭扭的名字、日期、邮寄地址、格言之类。他们俩边走边聊,几乎没注意到,这里的石壁上没有烟熏出的字画。他们在一面石壁上用蜡烛火焰熏上自己的名字,接着往前走。他们来到一个有条小溪的地方,水从上面的石头上流下来,带着溶解的碳酸钙,在漫长的年代中,逐渐形成华丽如花边如褶皱,形状如尼亚加拉瀑布,光滑细腻的石瀑。汤姆将自己的小身体挤到石瀑后面,好照亮它,让贝基欣赏。他发现,石瀑后面掩盖着一个狭窄的过道,过道中间是一段陡峭的自然台阶,他立刻为发现的欲望所驱动。贝基响应了他的号召,他们在石壁上留下供以后辨认的路标,便开始探索。他们沿着一条条蜿蜒道路,越走越远,深深钻到秘密的洞穴下层,又做了个标记,然后朝一条支路走去,以便将下面的乐趣告诉上面的人们。

到了一个地方,他们发现个宽敞的洞窟,洞顶上悬垂着无数钟乳石,足有一个成人的腿那么长,他们惊奇地在其中漫步,赞叹着,后来从许多出口之一走出去。不久,他们来到一个令人着迷的泉水边,水底有一层雾蒙蒙的石头,闪烁着水晶般的光芒。这泓泉水在一个大洞窟中,周围是钟乳石跟石笋相接后形成的奇妙石柱。这是水滴在无数个世纪中创造的奇迹。洞顶上,一串串蝙蝠倒挂在上面,每串都有几千只,烛光惊扰了它们,数百只蝙蝠短促地尖叫着飞下来,疯狂地冲向蜡烛。汤姆知道它们的习性,也了解这种行为的危险。他拉起贝基的手,朝最近的出口奔去。说时迟,那时快,一只蝙蝠的翅膀拍灭了贝基手中的蜡烛。蝙蝠追逐了孩子们挺长一段路,逃亡者们冲向面前一条条通道,最后逃脱了那群危险的东西。不久,汤姆发现一个宽广的地下湖,湖面一直延伸到目光所不及的远处阴影中。他想围着湖边探索一周,不过,他想先坐下来休息一会儿。此时,两个孩子才第一次意识到,此处的深深沉寂像一只粘糊糊的手,将两个孩子的精神紧紧抓在手心里。贝基说:

"哎呀,我没注意。好像很久没听到其他人的声音了。"

"想想看,贝基,我们远远在他们下面。我也不知道我们朝北面走了多远,或者是朝南面、东面或者什么其他方向。我们当然听不到他们的声音。"

贝基有点着急了。

"我不知道咱们下来有多久了,汤姆?咱们最好回去吧。"

"对,我看咱们最好往回返。也许最好往回返。"

"你能找到回去的路吗,汤姆?路弯弯曲曲的,我彻底糊涂了。"

"我保证能找到,可就是还有那些蝙蝠。要是它们把我们的蜡烛打灭,我们的麻烦可就大了。咱们另找一条路吧,好避开那地方。"

"好的。可我希望别迷了路。迷了路可就糟了!"女孩为这种可能性战栗起来。

他们开始穿过一条通道,很长时间默不作声,不断地扫视着每一个新的路口,想找到熟悉的标记,可它们全都很陌生。汤姆每次检查一个地方,贝基就会盯着他的脸,寻找鼓舞的迹象,他总是欢快地说:

"啊,没关系。不是这儿,不过我们很快就找到了!"

但是,随着一次次失败,他觉得越来越没希望,不久便开始随意乱走,对找到正确通道越来越不抱希望。他口头上仍然说"没事,"可是心里感到越来越沉重,语调渐渐失去了神气,好像在说:"没指望了!"贝基紧紧跟在他身旁,心里感到恐惧和痛苦,竭力忍住泪水,可泪水还是流下来了。最后她说:

"噢,汤姆,别怕那群蝙蝠,咱们还是走回头路吧!这么走好像越来越不对头。"

"听!"他说。

深沉的寂静。什么声音也没有,他们的呼吸都显得很粗重。汤姆喊了一声。回声顺着空荡荡的通道传开来,在远处回荡,听上去像一片嘲弄的笑声。

"噢,汤姆,别再叫,太吓人了。"贝基说。

"听上去的确吓人,可是,贝基,你知道,他们可能听见的。"他再次喊叫。

"可能"这个字眼比魔鬼般的笑声更可怕,它等于是宣布希望已经消逝。两个孩子站着倾听,什么结果也没有。汤姆立刻转身向原路走,而且加快了脚步。片刻之后,他犹豫不决的态度向贝基揭示了一个恐惧的事实——他找不到原路了!

"啊,汤姆,你没有做标记!"

"贝基,我真是个傻瓜!实在是个傻瓜!我根本没想到可能走回头路!是的,我找不着原路了。完全给搞糊涂了。"

"汤姆,汤姆,我们走失了!我们永远也走不出这个可怕的地方了!噢,咱们干吗一定要离开大家呢!"

她跌坐在地上发了疯似地大哭,汤姆大为惊骇,觉得她可能会死去,或者会发了疯。他在她身旁坐下,伸出胳膊搂着她,她把脸埋在他的怀抱中,紧紧搂着他,述说自己的恐惧,述说自己的悔恨,远处的回声把这一切都变成揶揄的笑声。汤姆求她振作起来,要重新建立起希望。她说她不能。他责备自己,咒骂自己,说是他让她到了这么一种悲惨境地。这番话产生了比较好的效果。她说,她可以试着树立希望,她会跟着他走,上哪儿都能,只要他不再说那种话就行。她说,这事不能怪他,自己也有份。

他们继续走,漫无目标地走,他们能干的就是走,不停地走。不久,希望向他们展示了一线曙光,并不是有什么道理,只是因为年轻人的希望之泉还没有干涸,也没有为一再的失败所挫折。

不久,汤姆吹灭了贝基的蜡烛。这种节省措施实在太重要了!不需要解释。贝基明白了,她的希望也再次熄灭了。她知道汤姆拿着一根完整的蜡烛,口袋里还装着三四根。然而他还必须节省。

不久,疲惫袭来。孩子们努力注意自己的体力。时间非常珍贵。坐下来是可怕的。不论朝哪个方向走,至少都是前进,或许能产生结果。坐下等于向死神发出邀请,并且缩短它的追捕。

最后,贝基虚弱的四肢再也不能带她向前了。她坐下来。汤姆坐在她身旁陪她休息,他们谈起家人和朋友,谈论起舒适的床铺,最重要的是光明!贝基哭了,汤姆设法考虑某种方法安慰她,可是他的所有鼓励全都毫无用处,听上去仿佛讽刺。贝基太疲劳了,垂下脑袋打起了瞌睡。汤姆感到庆幸。他坐在一旁望着她的脸,见它在愉快梦境的影响下变得舒展自然了,渐渐地,那张脸上出现了笑容。这张平静的面庞也在一定程度上反映了他自己的精神渐趋平静。他的思想超越了时间和朦胧的记忆。在他沉思过程中,贝基睡梦中发出一声活泼的欢笑,醒了。可是嘴唇很快变得僵硬,吐出来的只有呻吟。

“噢,怎么可能!我睡觉!我希望我永远永远也不醒来!不!不!别,汤姆!别这样!我再也不这么说了。”

“我很高兴你睡了一会儿,贝基。你会感到舒服些,我们会找到出洞的路。"

"我们可以试试,汤姆。不过,我已经在梦中看到了一片美丽的国度。我看我们要去那儿了。"

"也许不会,也许不会。振作些,贝基。咱们接着找路。"

他们站起身,手挽手漫无目标地走,心里不抱任何希望。他们试图估计在洞里已经呆了多久,可是,他只能说出,似乎已经有许多天,许多个星期了,然而,这是不可能的,因为他们的蜡烛还没有用完。在这之后过了很长时间,他们也说不出到底有多长时间,汤姆说,他们的脚步必须轻点,应该找个泉水。他们不久便找到了一眼泉水。汤姆说,该休息一下。两个孩子全都累坏了,可是贝基说,她还能再走一段。她听到汤姆表示不同意感到吃惊。她不明白他的意思。他们坐下,汤姆用泥土把蜡烛固定在石壁上。思想变得非常忙碌,一时间,两个人什么都没说。贝基打破了沉默:

"汤姆,我饿了!"

汤姆从口袋里掏出点东西。

"你还记得这个吗?"他问。

贝基几乎微笑起来。

"是我们的结婚蛋糕,汤姆。"

"不错——我真希望它有大木桶那么大,可这是我们拥有的全部。"

"我从野餐上省下来,好让咱们做个好梦,汤姆,就像成人吃结婚蛋糕那样……可这要变成咱们的……"

她打住话头。汤姆分开蛋糕,贝基吃得津津有味,汤姆却仔细嚼着自己那一份。冷水非常充足,可供他们补充这次宴会。后来,贝基建议继续往前走。汤姆沉默片刻。然后他说:

"贝基,如果我告诉你一件事,你能受得了吗?"

贝基的脸变得苍白,可是她认为她受得了。

"那么,贝基,我们必须呆在这儿。至少这儿还能喝到水。那是我们最后的一截蜡烛了!"

贝基放声大哭。汤姆尽量安慰她,并没有什么效果。最后,贝基说:

"汤姆!"

"什么,贝基?"

"他们会来找我们的!"

"对,他们会来找!他们当然要来找!"

"说不定他们现在已经在找我们了,汤姆。"

"是啊,我看他们也许已经在找了。我希望他们在找。"

"他们什么时候会发现我们不见了,汤姆?"

"我看,等他们回到船上就能发现。"

"汤姆,那时天已经黑了,他们会留意到我们吗?"

"我不知道。不过,他们回到家后,你妈妈会想到你的。"

贝基脸上露出恐惧神色。汤姆感到自己说漏了嘴。这天晚上,贝基本来不打算回家的!两个孩子陷入沉思。片刻之后,贝基又一次哭了,汤姆感到,她心里肯定跟自己想的一样——只有到了星期日上午,撒切尔太太才能发现贝基并没有在哈珀太太家过夜。

孩子们的眼睛紧紧盯着那截蜡烛,望着它渐渐融化,变短,看着它最后半英寸长的烛芯,望着火苗飘忽,细细的烟升在火苗上面。最后,恐怖的黑暗统治了一切!

贝基在汤姆的臂弯上哭了多久,什么时候才渐渐恢复意识,他们谁也说不上。他们只知道,似乎过了很久很久,两人才从麻木的睡眠状态醒来,恢复了不幸境遇。汤姆说,现在恐怕已经是星期日,说不定已经到了星期一。他试图让贝基开口说话,可她太悲伤了,所有希望都已破灭。汤姆说,大家肯定很久以前就想念他们了,毫无疑问,搜索已经在进行。他要大声喊,或许人们听见会过来。他喊了几声,可是,黑暗中,远处的回声实在让人恐惧,他便不再喊了。

许多个小时过去,饥饿再次折磨两个囚徒。汤姆那一半蛋糕还剩下一些,他们再次分而食之。可是,吃过后,似乎更饿了。那一丁点食物仅仅刺激起进食的欲望。

过了一会儿,汤姆说:

"嘘!你听见了吗?"

两个孩子屏住呼吸仔细听,似乎听到远处微弱的呼喊声。汤姆马上高声应答,拉着贝基的手,摸索着朝那个声音的方向走去。不久,他再次倾听,又听到那个声音,显然稍稍近了些。

"是他们!"汤姆说,"他们来了!来吧,贝基——咱们得救了!"

两个囚徒感到无尽的欢乐。不过,他们的行进速度很慢,因为到处是危险的陷阱,他们必须谨慎提防。不久,他们来到一个坑边,不得不停下脚步。坑可能有三英尺深,也可能有一百英尺,无论如何过不去。汤姆趴在地上,想探一探深度。探不见底。他们只能呆在原地,等待搜索者到来。他们倾听着,显然喊声越来越远!片刻之后,声音彻底消失了。多么令人心碎的不幸!汤姆高声喊叫,直到嗓子喊哑为止,结果根本没有用。他以充满希望的声调跟贝基交谈,可是过了很长时间,什么声音也没有。

孩子们摸索着回到泉水旁。令人疲倦的时间慢慢磨蹭着。他们再次睡着,醒来后为饥饿和悲哀所折磨。汤姆相信,此时肯定已经到了星期二。

他突然有了个主意。附近有几条通道。探索一下总比空空消耗阴阴沉沉的无聊时光要好。他从口袋里掏出一卷风筝线,把它拴在一个突出的石头上,他和贝基开始探索。汤姆走在前面,边放风筝线边摸索,在二十步长的通道尽头,到了一个"断崖"。汤姆跪下摸索,摸索着洞壁转弯处。他努力伸手朝右边稍远些的地方摸。就在这时,不足二十码之外,一只握着蜡烛的手从石壁后面出现了!汤姆乐得放声高喊,紧接着,那个身体出现了——印第安·乔伊!汤姆吓坏了,一动也不敢动。接下来,他感到极为安慰,因为他看到那"西班牙人"匆匆走掉了。汤姆不能确定,印第安·乔伊是不是辨认出了他的声音,然后跑过来为他在法庭作证要他的命。但是,回声肯定掩盖了音色。他推测,肯定是这么回事。恐惧让汤

164

姆浑身的肌肉都没劲了。他对自己说,要是有力气回到泉水旁边,他肯定会回去。什么也不能诱使他冒险再次跟印第安·乔伊打个照面。他仔细不让贝基知道他看见了什么。他对她说,他刚才叫喊不过是为了"壮壮胆"。

但是,饥饿和不幸终将战胜一切。在泉水边继续单调地等待,再次长时间睡眠后,有了转机。孩子们被猛烈的饥饿折磨醒了。汤姆相信,这时肯定是星期三或者星期四,要不就是星期五或者星期六了。到了这时,搜索肯定已经放弃。他建议探索另一条通道。他觉得,这时,就是冒险见到印第安·乔伊或者所有其他恐惧,他也愿意。但是,贝基已经变得非常虚弱。她已经陷入可怕的麻木状态,怎么也不能激起她的兴趣。她说,她要在此地等死,时间不会太久了。她告诉汤姆说,他要是愿意,可以放风筝线去探索,可她乞求他每隔一会儿就回来看看她,跟她说说话。她要他发誓,要在那个可怕的时间到来时,呆在她身旁,握着她的手,直到一切结束。

汤姆亲吻了她,感情冲动让他喉咙里哽得厉害,然后做了个自信的表示,说能够找到搜索者,或者找到另外一个通往洞外的出口。他拿着风筝线,手膝并用,从另一条通道摸索过去。饥饿和死亡的不祥预兆让他感到绝望。

# 第三十二章

时间已经到了星期二下午,渐渐接近了黄昏。圣彼得斯堡镇仍旧处在悲哀中。失踪的孩子仍然没有找到。人们为两个孩子举行公共祈祷,许许多多祈祷者真心诚意为孩子们的平安祷告。但是,洞穴那边仍然没有传来好消息。大多数搜索者放弃了搜索,回到日常生活中,他们说,很明显,那两个孩子永远也找不着了。撒切尔太太生了重病,大部分时间处于神志昏迷状态。人们说,听着她呼唤自己孩子的叫声,看着她突然抬起脑袋一动不动倾听整整一分钟之久,然后突然倒在床上呻吟,让人见了心都要碎了。波利姨妈陷入悲哀之中,一头灰发几乎全变白了。星期二晚上,镇子在悲哀和凄凉中消停下来。

夜已经很深了,突然间镇子上钟声大作,顷刻间,街道上便挤满了衣冠不整的狂乱人群。大家呼喊着:"快起床!快起床!他们找到了!他们找到了!"金属锅盆和号角也加入到钟声中来,人们迈开杂沓的脚步,涌向河边,孩子们坐的马车淹没在呼喊的居民洪流中,人流拥着它,浩浩荡荡沿着街道回家,欢呼声此起彼伏。

镇子上灯火辉煌,谁也不再上床睡觉了。这个小镇从来没有过如此重大的庆祝活动。最初的半小时中,镇子上的人们挤满了撒切尔法官家,大家鱼贯穿行着走进去,抱住被救的孩子们,亲吻他们,紧握撒切尔太太的手,想跟她说点什么,可是什么也说不出来,只管让汹涌的泪涛浸湿她家的地板。

波利姨妈感到说不出的幸福,撒切尔太太也几乎感到一样的幸福。要是送信的人尽快把消息传到山洞里,告诉她丈夫,她会感到更加幸福。汤姆被大家围在一张沙发上,热切的耳朵迫不及待地等他讲述这次令人神往的冒险经历。他的讲述中自然添油加醋,结束的时候,讲到如何摸索至风筝线刚刚够到的通道尽头,如何在探索第三个通道时,风筝线已经到了头,正打算返回,忽然瞥见一线光亮,看上去仿佛是白昼的阳光,他如何抛下风筝线,朝光亮摸去,从一个小洞钻出脑袋和肩膀,结果看到密西西比河正从下面滚滚流过!假如当时是夜晚,他肯定看不到那点光亮,也就不会再探索那条通道!他讲述了如何回到贝基身旁,把这个好消息告诉她,她对他说,别用这种话烦扰她,她已经疲惫不堪,认为自己就要死了,想要在那里等死。他描述了如何费尽周折才让她相信,她摸索着到了洞口,看到那一线蓝色的光芒,乐得几乎要了命;他如何挤出洞口,然后帮着贝基爬出来;他们坐在洞外如何高兴得大哭。汤姆接着讲述了一个小木筏从旁经过,他大声招呼他们过来,说了自己的处境,说自己饿得要命。起初,木筏上的人不相信这个疯狂的故事,他们说:"你们现在的位置在洞穴下游五英里的地方。"后来,他们让他们上了木筏,划到一个房子跟前,给他们吃了晚饭,让他们休息到天黑后两三个小时,然后送他们回到家。

天没亮,人们来到山洞,顺着撒切尔法官和那一小批搜索者身上系的绳索,在山洞里找到他们,把好消息告诉他们。

汤姆和贝基很快发现,三天三夜在山洞里的劳累和饥饿不可能一下子恢复。星期三和星期四,他们在床上整整躺了两天,似乎越来越疲惫不堪。到了星期四,汤姆能稍稍走动一下了,星期五,他来到镇子上,到了星期六,他已经恢复得没事一样了。可是贝基直到星期日才走出房间,显得像是大病了一场。

星期五,汤姆听说哈克病了,就去看望他,可是人们不让他进哈克的卧室。到了星期六和星期日,还是不让他看哈克。不过,后来就能每天看望他了。不过人们警告他,别讲自己的冒险故事刺激他。寡妇道格拉斯每次都守在旁边,看他是不是遵守规定。回家后,汤姆得知了卡迪夫山发生的事件,人们后来在渡船码头附近找到了那个"邋遢鬼"的尸体。也许他是在逃跑途中淹死的。

汤姆从洞穴逃生大约两个星期后,一天他出发去看望哈克。哈克这时身体已经强壮多了,不怕人们讲让他激动的事情。汤姆想,自己有些让他感兴趣的事情讲给他听。他经过撒切尔法官家,顺道看望贝基。法官和几个朋友跟汤姆聊天,有人挖苦地问他,是不是愿意再进洞探险。汤姆说,他不在乎。法官说:

"是啊,汤姆,有些人跟你一样,这一点我丝毫也不怀疑。不过,我已经处理了。以后再也不会有人在洞里失踪。"

"为什么?"

"因为两星期前,我已经让人用铁箍加固了大门,上了三道锁,钥匙在我手里。"

汤姆的脸变得像纸一样白。

"怎么啦,孩子!来人哪,快!端杯水过来!"

水端来了,洒在汤姆脸上。

"啊,你没事了。汤姆,你怎么了?"

"哦,法官,印第安·乔伊在山洞里!"

# 第三十三章

没出几分钟,消息就散布开来,十几艘小船满载男人们向迈克杜格尔山洞出发了。不久,渡船也满载乘客紧随其后。汤姆·索亚与撒切尔法官搭乘同一条小船。

洞穴大门打开后,昏暗中展现出一幅惨象。印第安·乔伊四肢伸展躺在地上,死了。他的脸紧靠大门缝隙,仿佛直到最后时刻,眼睛还紧盯着外部世界的自由光芒。汤姆深有同感,凭自己的经历,他能体会到这个可怜的家伙遭受过怎样的痛苦。虽然他不无同情,但此时他为自己的安全大感宽慰,自从那天他开口作证指控这个血腥的罪犯以来,今天才深感自己肩上压过沉重的负担。

印第安·乔伊的那柄长刀丢在地上,刀已经断成两截。巨大的洞门下面的横木被砍凿过,他曾经长时间地砍凿,但是毫无用处,因为外面的门槛是在山体岩石上凿成的,他的刀在如此坚硬的物质上显然毫无作用,惟一的损失是他那把刀。不过,即使没有外面的岩石门槛,他的努力也是徒劳,因为就算印第安·乔伊把横木整个砍掉,他也不可能从门下面挤出来,这一点他自己清楚。所以,他砍削门子是为了其他目的——为的是消磨悲凉的时光——为的是消耗无益的力气。通常,人们能在洞口找到游客抛弃的许多蜡烛头,可现在连一截也没有了。肯定是这个囚徒找来吞进了肚子里,他还设了圈套,捕捉蝙蝠充饥,只剩下它们的爪子。这个不幸的家伙是饿死的。在他身边有一个洞顶钟乳石多年滴水形成的石笋。这个囚徒敲断石笋,在上面放了块挖成凹陷的石头,用来接饮用水,可是水滴每三分钟才有一滴,准确得像时钟的钟摆,每二十四小时可得到一汤勺水。这水滴开始滴落时,金字塔刚刚兴建,特洛伊城开始陷落,罗马城开始奠基,耶稣基督被钉在十字架上,征服者开创了不列颠帝国,哥伦布扬帆启航,列克星敦大屠杀还是新闻。可它现在仍旧在滴落,它将继续滴落,直到历史进入晚年最终烟消云散。难道一切都有目的和使命?难道这水滴五千年来就这样耐心地为匆匆经过世界的渺小人类服务?在未来一万年中,它是不是有其他更重要的目标?反正没人关心。自从那个倒霉的野蛮人敲断石笋接饮那珍贵的水滴以来,许许多多年过去了,今天的游客们来观瞻迈克杜格尔山洞的奇观时,会久久盯着看这个石笋上的缓慢水滴。印第安·乔伊的石碗成了山洞第一奇观,即使"阿拉丁宫殿"也不能与之媲美。

印第安·乔伊的尸体埋在洞口附近,人们乘船坐车从远远近近的城镇村落来到这里,他们带着孩子,带着食物,观看葬礼,都说这比绞刑更让人痛快。

葬礼终止了另外一宗案件的进程——要求州长赦免印第安·乔伊的请求。上诉书通过许多会议和催人泪下的辩论,一个由善哭女人组成的委员会被指定围在州长身边号哭请愿,意在把他变成个践踏职责诉诸怜悯的傻瓜。上诉书几乎被签署。人们相信,印第安·乔伊残酷屠杀了五位居民,可算什么呢?假如他是魔鬼撒旦,就会有更多懦弱的人们在赦免请愿书上草签自己的龌龊名字,从永远滴漏个不停的泪腺洒下毫无价值的泪水。

葬礼后第二天早上,汤姆带着哈克来到一个秘密地点,两人举行重要会谈。哈克已经从威尔士人和寡妇道格拉斯嘴里了解到汤姆的冒险经历,但是汤姆说,他能保证,有件事他们肯定没告诉他,他现在就要谈这桩事。哈克的脸上浮出悲哀。他说:

"我知道你要说什么。你在第二号除了威士忌什么也没发现。谁也没说你去过那儿,可我一听说威士忌的事,就知道那准是你。我还知道你没弄到金币。因为要是你弄到了,就是不对任何人说,也肯定会告诉我。汤姆,我觉得咱们永远也得不到那笔赃款了。"

"你怎么啦,哈克,我说的根本不是那个旅店的事。你自己知道,我星期六去参加野餐的时候,那家旅店还好好的。你不记得那天晚上你该在那儿守望吗?"

"哦,记得!嗨,那好像是很多年前的事了。我就是那天晚上跟踪印第安·乔伊到了寡妇家的。"

"你跟踪他了?"

"对呀——可你要保守秘密。我保证,印第安·乔伊的朋友们向着他,我可不想让他们来惹我麻烦,害我。要不是我,他现在已经到了得克萨斯州了。"

接着,哈克向汤姆秘密讲述了他那天的整个冒险经历。在这之前,汤姆仅仅听到威尔士人讲述的那部分故事。

"那么,"哈克回到主要关心的事情上来,"不管是谁,反正进第二号的人既弄走了威士忌,也把钱弄走了。反正没咱们的份,汤姆。"

"哈克,那钱根本不在第二号!"

"什么!"哈克紧紧盯着同伴的脸,"汤姆,你又找到钱的线索了?"

"哈克,钱在山洞里!"

哈克的眼睛闪着光。

"再说一遍,汤姆。"

"钱在山洞里!"

"汤姆……诚实的印第安人……你这是说笑话还是真话?"

"真话,哈克,就像我活着一样真。你愿意跟我一起进去,把钱弄出来吗?"

"我愿意!我愿意。只要咱们带上灯,别迷路就行。"

"哈克,咱们不会遇到任何麻烦。"

"太好了!你怎么知道钱……"

"哈克,等咱们去了那儿就知道了。要是咱们找不到钱,我答应把我的鼓和我的一切东西都给你。我保证。"

"好吧——太棒了。你说什么时候?"

"现在,要是你愿意。你身体行不行?"

"在洞里远不远? 我浑身有点疼,三四天了,连一英里都走不了,汤姆,至少我觉得走不了太远。"

"要是其他人的话,进洞要走五英里,可是咱们用不着走那么远,哈克。有一条近路,除了我谁都不知道。哈克,我划条小船带你去。我让小船顺水漂下去,回来的时候我一个人划。你连手都用不着动一下。"

"那咱们走吧,汤姆。"

"好。咱们得带点面包和肉,带上咱们的烟斗和一两小袋烟草,两三根风筝线,还要带上那种新发明的东西叫做火柴。我跟你说吧,上次我在里面真希望带着这种火柴。"

中午刚过,两个孩子就借了条小船,船主人不在场,他们立刻出发。小船漂到"山洞湾"下游几英里的地方,汤姆说:

"你看,从山洞湾过来,这边的断崖看上去全都一个样,没有房子,没有树木,树丛也都一样。可是,你看那边,看见滑坡露出的那片白色没有? 那就是我的一个记号。现在咱们靠岸吧。"

他们上了岸。

"哈克,在咱们站的这地方,你能用钓鱼竿捅到我出来的洞口。看你能不能找到。"

哈克把这地方整个搜了一遍,可是什么也找不着。汤姆自豪地走进一丛浓密的漆树树丛,说:

"就这儿! 你瞧,哈克,这是最隐蔽不过的洞口了。你要保守秘密。我一直想当强盗,可我知道,必须先有个像这样的地方能藏身才行。现在我们有了,要保守秘密,不能告诉任何人,当然,可以告诉乔伊·哈珀和本·罗杰,因为他们也是帮里的人,要不然就没风格了。汤姆·索亚帮——听起来蛮棒的,对不对,哈克?"

"还行吧,汤姆。咱们抢劫什么人?"

"噢,见人就抢。埋伏起来袭击人——强盗都这样。"

"还要杀了他们?"

"不,不见得。把他们绑架到山洞里,赎金送来就放。"

"赎金是什么?"

"就是钱。你逼他们筹集尽量多的钱,扣留他们的朋友。一年后,要是他们筹集不到钱,你就杀了他们。一般就是这办法。只是不杀女人。可以把女人关起来,但是不能杀。她们全都非常漂亮富有,吓得要命。你抢走她们的金表和财物,可是你见了她们要脱帽,讲话要彬彬有礼。什么人都不如强盗礼貌,书上都是这么说的。女人们会爱上你,她们在山洞里生活上一两个星期后,就不再哭泣,在这之后,就是要她们走,她们都不走了。假如把她们赶走,她们最后还要回来。书上都是这么说的。"

"嗨,那是欺负人,汤姆,我看最好还是当海盗。"

"对,在某些方面不错,因为离家近,离马戏团近,离什么都近。"

两个孩子做好各种准备,钻进山洞。汤姆走在前面。他们吃力地放着风筝线走到洞里,风筝线到了头,他们接了另一卷,接着走。又走了几步来到泉水边,汤姆不禁浑身颤抖。他指着泥巴粘在洞壁的最后一截蜡烛遗迹,描绘他和贝基怎么望着它最后闪烁着熄灭。

两个孩子开始平静地耳语,洞里的黑暗和寂静对他们的精神是一种沉重的压迫。他们继续往前走,顺着汤姆引导的另一条走廊,来到那个"断崖"边。烛光揭示了一切,原来那并不是个断崖,只是个二三十英尺的陡峭土堆。汤姆压低声音说:

"现在我让你看点东西,哈克。"

他举起手中蜡烛说:

"仔细看那个转弯的地方,看见了没有?那儿的大石头上……用蜡烛烟熏的。"

"汤姆,是个十字!"

"你的第二号在哪儿?就在这十字下面,哈?就在这儿,我亲眼看见印第安·乔伊伸出手中的蜡烛,哈克!"

哈克瞪着那个神秘的符号看了一会儿,然后声音颤抖地说:

"汤姆,咱们离开这儿吧!"

"什么! 宝藏不要了?"

"对,留这儿吧。印第安·乔伊的鬼魂肯定就在这附近。"

"没有,哈克,没有的。他的鬼魂在他送命的地方,离这儿远着呢,在洞口,离这儿有五英里。"

"不是的,汤姆,不应该是这样。它应该在钱上面。我知道鬼魂们的习惯,你也知道。"

汤姆心里畏惧,恐怕哈克说的不错。疑惑开始积聚在他心头。不过,他很快有了个主意。

"听我说,哈克,咱们真是两个傻瓜! 印第安·乔伊的鬼魂不敢到有十字的地方来!"

这个想法被接受了。很有效。

"汤姆,我没想到这个。不过这倒是真话。咱们真幸运,那儿有个十字。我看咱们该去找那个箱子。"

汤姆走在前面,在土堆上使劲踏出台阶。哈克跟在后面。这个洞窟里有四条通道,两个孩子仔细检查了其中三条,发现什么也没有。他们发现,在土堆底部有个小凹陷,里面是简陋的栖身地,铺着毯子,上面有个架子,上面有些熏肉外面的皮和啃得一干二净的鸡骨头。可就是没有钱箱。两个孩子在里面一再搜索,什么也没发现。汤姆说:

"他说过,在十字下面。这地方距离十字很近。不可能在岩石下面,因为石头全都不能移动。"

他们把每一个地方都搜索一遍,然后气馁地坐下来。哈克什么办法也没有。后来汤姆说:

"瞧这儿,哈克。石头这边的土地上有蜡油,可是那边没有。这是为什么? 我敢打赌,钱就在这石头下面。我要挖这边的土。"

"这主意不赖,汤姆!"哈克活泼地说。

汤姆立刻抽出他那把"大刀",挖了不到四英寸,就碰到了木头。

"嘿,哈克! 你听见没有?"

哈克开始动手,又是挖又是刨,不久便揭开几块木板,抛了出去。下面露出一个自然的石缝,通向巨大的岩石下面。汤姆举着蜡烛,尽量低下脑袋看。可是他说,看不见石缝尽头有东西。他建议下去探索,就弯下腰钻了进去。狭窄的通道倾斜向下。他顺着曲折的通道走,先朝右拐,再朝左拐,哈克紧跟在他身后。后来汤姆绕过一个小弯,突然大声叫喊起来:

"我的老天,哈克,瞧这儿!"

当然是那只财宝箱。只见它被安置在一个小洞里,另外,里面还放着一个空的火药桶,几枝装在皮套里的枪,两三双旧鹿皮鞋,一条皮带,还有一些被滴水浸透的破烂东西。

"终于找到了!"哈克抓着那些沾着污泥的金币说,"天哪,汤姆,咱们发财啦!"

"哈克,我从来就打赌说,咱们能找到财宝。只是让人不敢相信这是真的。不过咱们肯定已经得到了! 我说,咱们别在这儿傻呆着啦,把它弄出去。我看看能不能搬动这箱子。"

箱子差不多有五十磅重。汤姆憋足了劲倒是能搬起来,可是运不出去。

"我原来就知道它很重,"他说,"那天在鬼屋子里,他们搬箱子的样子显得挺沉的,这我注意到了。我看我带着这些小袋子是对的。"

钱装进两个袋子,两个孩子把它们运到标着十字的石头那里。

"咱们把枪和其他东西也搬出来。"哈克说。

"不,哈克,把它们留在这儿。等到咱们当强盗的时候再用。咱们要让它们永远留在里面,留给以后寻欢作乐。这可是个作乐的好地方。"

"什么是寻欢作乐?"

"我也不知道。可是强盗们总是寻欢作乐,当然咱们也要这么干。来吧,哈克,咱们在这儿呆得太久了。我看时间不早了。我饿了,咱们上了小船就吃饭。"

不久,他们钻出洞到了漆树树丛中,警惕地朝四周观望,发现岸上没人。他们很快便上了小船,吃饭、抽烟。太阳沉向地平线,他们把船推离岸边,出发了。汤姆在漫长的黄昏中划船逆水而上,跟哈克愉快交谈,天黑后不久便靠岸了。

"我说,哈克,"汤姆说,"咱们把钱藏在寡妇家木棚的阁楼上,早上我来,咱们数钱,分钱,然后,咱们再到树林里找个安全的地方把钱藏起来。你在这儿呆着,守住小船,我去偷本尼·泰勒的小推车。我马上就回来。"

他走了没多久便推着小车回来了,把两个袋子装上车,用几件旧衣裳盖住,然后拉着小车出发。两个孩子到了威尔士人家房子外面,停住脚步休息一下。他们正打算接着走,那威尔士人出来说:

"嗨,这是谁呀?"

"哈克和汤姆·索亚。"

"好哇! 跟我来,孩子们,你们让大家等苦了。快上这儿来,跑两步,我替你们拉车。哎呀,还挺不轻的。上面装的是砖头,还是废铁?"

"废铁。"汤姆说。

"我看准是,这个镇子上的男孩宁愿费很多工夫吃不少苦头,拣烂铁卖给铸造厂,挣俩小钱,也不愿干正当活计多挣两倍的钱。不过,这也是人类的本性。快走,快!"

两个孩子想知道这么着急是要干吗。

"别问,你们会知道的,到了寡妇道格拉斯家就知道了。"

哈克不禁感到担忧,长期以来,他已经习惯让人家冤枉了。他说:

"琼斯先生,我们可什么也没干哪。"

威尔士人笑了。

"嗯,我不知道,哈克,我的孩子。我不知道。你和寡妇不是好朋友吗?"

"是啊,她的确是我的好朋友。"

"好啦,那你还有什么害怕的?"

哈克脑袋里还没有怎么转过弯子来,就让人推着来到道格拉斯太太的客厅里,琼斯先生把小车丢在门外,跟进来。

客厅里灯光明亮,镇子上有影响的头面人物都在这儿。撒切尔一家、哈珀一家、罗杰斯一家、波利姨妈、锡德、玛丽、牧师、编辑,还有许多其他人,大家都身穿最好的衣服。寡妇衷心欢迎两个孩子,任何人都不会像她这样欢迎两个这么邋遢的孩子。他们浑身上下沾满了泥土和蜡烛油。波利姨妈觉得丢人,涨红了脸,皱着眉头朝汤姆摇头。不过,其他人的尴尬不及孩子们自己的一半。琼斯先生说:

"汤姆刚才不在家,我本打算不找他了,可他和哈克正巧就在我家门口,我赶紧把他们带到这儿来。"

"你来得正是时候。"寡妇说,"跟我来,孩子们。"

她带着他们来到一间卧室,说:

"现在,洗一洗,换上衣服。这是两套新衣服,有衬衫,有袜子,什么都不缺。那是哈克的。不,别谢,哈克。琼斯先生买了一套,我买了一套,都是按你们的身材买的。穿上吧,我们在等着呢。打扮漂亮就下来。"

然后她走了。

# 第三十四章

哈克说:"汤姆,咱们找根绳子,从窗户逃走吧。窗户离地面不高。"

"胡说! 为什么要逃走?"

"我不习惯跟那么大一群人在一起。我受不了。我不下楼去，汤姆。"

"真讨厌！什么事也没有。我才不在乎呢。我会照顾你的。"

锡德来了。

"汤姆，"他说，"姨妈等了你整整一下午。玛丽把你星期日穿的衣裳准备好，大家都替你担心。你衣服上怎么弄了这么多泥土？"

"听我说，锡德先生，管好你自己的事情吧。你哪来的这么一通废话？"

"寡妇常常举办晚会。这次是为威尔士人和他的两个儿子举办，感谢他们那天晚上帮她脱险。嘿，要是你想知道，我就告你点其他事。"

"嗯，什么事？"

"琼斯先生要对大家宣布一件事，我偶然听见他今天对姨妈说了，是个秘密，不过我敢担保，现在已经不算什么秘密了。大家都知道——寡妇也知道，可她要假装根本不知道。琼斯先生要求说，哈克必须在场，他的秘密没有哈克就不能说出去，你知道了吧！"

"关于什么的秘密，锡德？"

"关于哈克跟踪强盗来到寡妇家的事。我看琼斯先生要让大家吃一惊，可我敢说，最后大家并不吃惊。"

锡德非常得意地咯咯笑了。

"锡德，是你说出去的？"

"喔，别在意是谁说的。有人说的，这就够了。"

"锡德，这个镇子上只有一个人会干这种卑鄙事，那就是你。你要是哈克，你会悄悄溜下山，关于强盗的事谁也不告。你除了卑鄙龌龊的事，什么也干不来。你还不能忍受其他人干了好事受表扬。得了，寡妇刚才就是这么说的。"汤姆揪住锡德的耳朵拖到门口，踢了他几脚。"去找姨妈告状吧，要是你敢，明天我找你算账！"

几分钟后，寡妇的宾客在餐桌前就坐，十几个孩子围坐在旁边一张小些的桌子周围。这是当时这地方的习俗。到了恰当的时刻，琼斯先生发表了自己那段简短的讲话，他对寡妇对自己和儿子们的褒奖表示感谢，不过他说，另外有一个人，他的谦逊……

他滔滔不绝地谈到哈克在那次冒险经过中的作用，谈话十分巧妙，他对此十分在行。但是，这番话引起的惊奇却大部分是假装出来的，也缺乏在这种情况下应有的激动和惊讶情绪。不过，寡妇却表演得满像那么回事，显得极为吃惊。她对哈克表示说不尽的感激，对他大加赞扬，几乎没有注意到他身穿新衣服感到无法忍受的难过，可这身新衣服本来是为了让大家把目光集中在他身上，让他得到大家的褒扬的。

寡妇说，她计划收养哈克，并让他受教育。以后，等她有了钱，要资助他做体面的生意。汤姆的机会来了。他说：

"哈克不需要钱。他很富有。"

大家出于礼貌努力憋住，才没有被这个笑话逗得忍俊不禁。可是，这段沉默却让人尴尬。汤姆打破沉默：

"哈克有钱了。也许你们不相信，可是，他有很多钱。噢，你们用不着笑。我可以让你们看。你们稍等。"

汤姆跑出门。大家面面相觑，感到不解，大家又把目光转向哈克。哈克不作声。

"锡德，汤姆犯了什么病？"波利姨妈问，"他……嗨，这孩子总是给大家惹麻烦。我永远……"

波利姨妈还没说完，汤姆就吃力地提着两个袋子进了门。汤姆把黄灿灿的金币哗啦啦倒在桌子上，说：

"瞧，我说什么来着？其中一半是哈克的，另一半是我的！"

这景象把大家惊得闭了气。一时间，只有惊呆的目光，没人开口说话。接着，人们都要求解释钱的来源。汤姆说，他当然可以讲给大家听。故事很长，但是极为动人。几乎没有人打断他的话。他讲完后，琼斯先生说：

"我原以为能在今天这个场合给大家带来点惊喜呢，可现在什么也算不上了。这事占了统治地位,我愿意让位。"

大家把钱过了数。总数是一万二千多美元。任何人以前都没有一次见过这么多钱,不过,晚会上有些人的财产比这多得多。

# 第三十五章

读者可以想像,汤姆和哈克发的这笔横财,在这个贫穷的小镇圣彼得斯堡引起了极大的轰动。如此巨大的金额,全都是货真价实的金币,简直令人不能置信。大家谈论它,赞美它,为它垂涎,乃至许多居民为不健康的激动搅得不能自持。大家把圣彼得斯堡每一所闹鬼的房子都翻了个底朝天,每一块木板都仔细撬下来检查,地基被深深挖开搜索,想找到隐秘宝藏的不仅有男孩子们,还有成年男人,其中有许多还是相当严肃的男人,平时并没有浪漫念头。不论汤姆和哈克出现在哪里,人们都会向他们讨好,称赞他们,注视他们。两个孩子的话以前从来无足轻重,可是现在,他们的话成了金玉良言,被大家一再重复。他们干的一切似乎都成了了不起的事情。他们显然不能再搞平常的活动,不能随便说话。另外,人们归纳他们过去的经历后,发现他们干任何事情,都富有独创性。镇上的报纸登出了两个孩子的简历。

寡妇道格拉斯把哈克的钱按年利息百分之六存在银行,撒切尔法官在波利姨妈的要求下,也把汤姆那份作了同样处理。每个孩子都有了收入,这是桩让人吃惊的事情,一年中,每个周日都有一美元,每个星期日也有半美元。这正好是牧师的薪水——不,仅仅是许诺给他的薪金,他往往收不到这么多钱呢。在那个质朴的年代,一美元二十五分就能支付一星期的房租、饭费、还能供一个孩子上学——当然包括孩子的衣服和清洁费用。

撒切尔法官对汤姆有很高的评价。他说,能把他女儿从山洞里带出来的,绝对不是个平凡的孩子。贝基在绝对保密的情况下告诉父亲,汤姆如何在学校替她挨了顿鞭打,法官显然非常感动。她替汤姆说情,希望父亲原谅汤姆撒的大谎,因为他是为了替她承受那顿鞭子。法官热情洋溢地说,那是个高尚的谎言,是个慷慨的谎言,是个有雅量的谎言,说这种谎言的人能够挺胸抬头与历史人物站在一起,这样的谎言可与乔治·华盛顿的战争宣言媲美!他说这话的时候,在地板上走来走去,时而跺一跺脚。贝基认为,她父亲从来没有像现在这样高大伟岸。她径直跑去把他的话告诉汤姆。

撒切尔法官希望,汤姆将来能当个了不起的律师,或者一位显赫的军人。他说,他愿意负责将汤姆送进国家军事学院,然后在全国最好的法律学校接受训练,以便将来从事其中一种职业,或者两种职业同时承担。

由于哈克·费恩的财富以及他受到寡妇道格拉斯的庇护,他被介绍进上流社会——不,应该说是被拖进了上流社会,死拉硬拽了进去。他遭受的苦难让他几乎难以忍受。寡妇的用人把他洗得干干净净,穿戴得整整齐齐,头发要梳,衣服要刷,每天晚上都把他无情地盖在毫无瑕疵污渍的被单里,然而,污秽本来一直是他的亲密朋友。他得用刀子和叉子吃饭,他得使用餐巾和杯盘,他得学功课,他得去教堂,他得用没味的礼貌语言讲话,不论去什么地方,文明的栅栏和桎梏都禁闭他的身体,限制他手脚的自由。

他勇敢地忍受了三个星期的苦难,后来有一天,他突然失踪了。寡妇焦急万分,寻找了他四十八个小时。公众感到深深的担忧,他们到处搜寻,他们在河里打捞他的尸体。第三天一大早,聪明的汤姆·索亚跑到屠宰场空闲的旧猪圈闲逛,在其中一个猪圈里,发现了这位难民。哈克在里面睡觉,他刚刚吃了点偷来的鸡零狗碎当早餐,此时正舒舒服服躺在那里抽烟呢。他浑身肮脏,头发蓬乱,身上又穿起以前自由幸福的日子里那身生动独特的破衣服。汤姆找到他,把他造成的麻烦讲给他听,敦促他回家去。哈克脸上的平静神色没有了,挂上一副悲哀的表情。他说:

"别提了,汤姆。我试过了,不行啊。实在是不行,汤姆。对我不适合,我不习惯。寡妇对我很好,很友善,可我受不了他们那种生活。她逼我每天早上在同一个时间起床,她逼我洗脸,他们拼命梳我的头,她不让我睡在木棚里,汤姆。可他们睡觉的地方连空气都不通,到处干净得一团糟,连个随便坐,任意躺,撒欢打滚的地方都没有。我已经很长时间没钻过地窖,恐怕足有几年了吧。我还得上教堂去,呆在那儿出汗,不停地出汗——我痛恨那种倒霉的布道! 不让人逮苍蝇,不让嚼烟草,到了星期日还得穿鞋。寡妇听铃声吃饭,听铃声上床睡觉,听铃声醒来——全都规律得可怕,谁能受得了呀!"

"哈克,大家都是这样生活的。"

"汤姆,这没用。我不是大家,我受不了。让人紧紧拴起来实在太可怕了。说说容易,我对那种生活不感兴趣。我钓鱼得提出要求,游泳得提出要求,他妈的,我干什么都得提出要求。开口说话,我得说好听的,礼貌的——我每天非得爬上顶楼,在那儿咒骂一顿,让嘴巴痛快痛快,要不我非给憋死不可。那寡妇不让我抽烟,不让我叫喊,不让我打哈欠,不让我伸懒腰,当着别人不让我挠痒痒……"他仿佛感到特别烦恼,也好像受到特殊的伤害,他的脸痉挛了一下说,"见鬼,她总是在祷告! 我从来没见过这种女人! 我不得不抵抗,汤姆,实在是不得不这么干。再说了,学校就要开学啦,我还得去上学,我可不愿忍受那个。汤姆,听我说,发了财并不像人们吹嘘的那么好。只不过是担心加担心,出汗加出汗,人们总是希望你死。这些衣裳我穿着才舒服,这地方合我的胃口,我可不想走了。汤姆,要是没有那些倒霉的钱,我根本用不着找这些麻烦。你趁早把我那份一并拿走算了,偶尔给我一毛钱,用不着经常给,因为能偷到手的东西,咱才不给他们钱呢。你去寡妇那儿,替我把钱要出来。"

"嗨,哈克,你知道我不能干这事。这不公平,再说,要是你多过几天这种日子,就会喜欢的。"

"喜欢!可不是嘛,在火炉子上坐久了就会喜欢坐在火炉上!不,汤姆,我不愿发财,我不愿住在他们那种透不过气来的该死房子里。我喜欢树林,喜欢大河,喜欢猪圈,我要继续这么过。见他们的鬼!既然咱们有枪,有山洞,有强盗的一切,这儿愚蠢透顶的东西都该见鬼去!"

汤姆发现自己的机会来了:

"听我说,哈克,发了财根本不能让我不当强盗。"

"对!说得对。你这话当真,汤姆?"

"就像我坐在这儿一样真实。不过,哈克,要是你不受人尊重,我们就不让你入伙。"

哈克的欢乐像浇了水的火。

"不收我入伙,汤姆?你们不是让我当过海盗吗?"

"不错,可那不一样。一般来说,强盗比海盗高尚得多。在大多数国家,他们是最高尚的贵族,像公爵之类。"

"汤姆,你从来都是我的好朋友,对吧?你不至于把我丢开吧?你不能这么做,对不对,汤姆?"

"哈克,我不愿抛下你,也不想那么做,可是人们会怎么说呢?嗨,他们会说,'哼!汤姆·索亚帮!都是些低级下流的人物!'他们会小瞧你的,哈克。你不喜欢这样,我也不愿意。"

哈克沉默了一阵,思想里在斗争。最后他说:

"唉,我回寡妇家再住上一个月,看看能不能受得了,可是,你要收我入伙,汤姆。"

"好吧,哈克,一言为定!走吧,老伙计,我去要求寡妇对你放松些,哈克。"

"是吗,汤姆,你真的要这么做?那很好。只要她不逼人太甚就行,我可以私下抽烟,私下骂娘,能跟大家伙凑凑,打打群架就行。你什么时候开始挑头当强盗?"

"哦,马上就干。我们要把男孩子们聚集起来,说不定今晚就搞盟誓入伙。"

"搞什么?"

"搞盟誓入伙。"

"那是干什么?"

"就是发誓要相互依靠,永不泄露帮里的秘密,就是把自己剁成肉酱也不说,谁要是敢伤害帮里的人,就要了他和他家人的命。"

"有意思,我说,汤姆,太有意思啦。"

"我打赌肯定有意思。而且盟誓一定要在午夜进行,在最寂寞最可怕的地方,一所闹鬼的房子最好,可惜他们把所有闹鬼的房子都挖开了。"

"嗳,汤姆,反正午夜不赖。"

"对,的确不赖。而且要在棺材上发誓,用血签名。"

"哈,就要这样! 这可比干海盗强上百万倍。那我就跟寡妇住,一直住到死算了,汤姆。要是我当了个了不起的强盗,大家都这么说,我看她会为我骄傲,为当时把我从苦水里救出来感到自豪。"

# 第三十六章

马洛结束了他的讲述,他的听众立刻在他忧伤的注视下散去。人们毫不耽搁地离开门廊,有些人结伴而行,有的独自离去,没有一句评论,仿佛那个并不完整的故事的最后一景,以及讲故事的人用的语调等,使讨论变得徒然,使评论成为不可能。每个人走的时候都带走留给自己的印象,就像带走个秘密。但是,听众中只有一个人听到了故事的最后一个字。那是在两年以后,故事的结尾寄到了他家,那是个邮件,封面上有马洛一笔一画的工整字迹。

这位获得特权的人打开邮包,朝里面看了一眼,然后把它放下,走到窗口。他的房间在一座高大建筑的顶楼,他可以透过窗户极目远眺,就像站在灯塔上顺着灯光的方向眺望一样。脚下的众多屋顶闪闪发亮，黑黢黢的山脊一个接着一个，像阴郁的波浪，城镇的喧闹一直传上来。众多的教堂尖顶，随意散布在城里，就像没有航道的杂乱浅滩上的一座座灯塔。冬天傍晚的暮色中搀杂着雨丝，钟楼上报时的大钟敲出洪亮的迸裂声，震颤中带着尖利的啸声。他拉上沉重的窗帘。

灯罩下，他的阅读灯就像绿树遮荫的池水在睡眠，他的脚步在地毯上毫无声息，他的流浪生涯结束了。在热情探索永远发现不完的土地中翻山越岭，横渡河流，逐浪随波，但是没有什么限度比希望更加无限，丛林中的黎明不及寺庙更庄严。报时钟在敲响！不再响了！不再响了！但是，灯光下那个邮包让他回忆起响声、景象、往日的气息、众多淡忘的面孔、喧嚣低沉的嗓音，这一切都消失在遥远的海岸上，消失在热烈威严的阳光下。他叹了口气，坐下来阅读。

起初，他发现三个不同的附件。许多页弄成黑色的纸张钉在一起。一张灰色的散页上有几个字，他从来没见过那个笔迹，还有马洛写的一封注释。在这下面是另一封信，由于时间久远而发黄，折叠处已经磨损。他把这信搁在一旁，开始看马洛的信。他匆匆扫视过开始的几行，接着控制住自己的速度，从容阅读，就像踏上陌生的土地时那样，脚步缓慢，目光警觉。

"……我认为你没有忘记，"信上这么说，"只有你对故事中的那个人发生了兴趣，尽管我记得很清楚，你不承认他那种行为算得上掌握了自己的命运。你预言说，他会疲倦，他最终会厌倦获得的荣誉，厌倦自愿承担的工作，厌倦由于怜悯和年轻的需要产生的爱情，最终将导致灾难。你说过，你对'那种事情'知道得清清楚楚，也就是说那种幻觉式的满足和不可避免的上当。我记得，你还说过，'将你的生命交给他们'，他们指的是所有褐色、黄色或黑色皮肤的人种，'就像把自己的灵魂卖给畜生'。你争辩说，只有确信具有我们种族的思想，并在这种名义下建立秩序和种族进步的道德观的基础上，才能忍受并愿意忍受'那种事'。你还说过：'我们需要它的力量支持我们。我们要得到必需的正义信念,才值得为之牺牲我们的生命。否则,牺牲将被人遗忘,奉献将无异于自投地狱。'换言之,你坚持认为,我们搏斗也必须与上等人对垒,否则,我们的生命将无足轻重。也许是这样!你当然应该知道——这话并无恶意——因为你单枪匹马出入过一两个地方,并且平安返回,并没有烧焦自己的翅膀。不过,问题在于,吉姆除了自己并未与人类打过交道,而且问题是他是否向一种信仰忏悔,而不是向法律或秩序低头。

　　"我并不做出任何断言。也许你读过后能做出判断。毕竟,'笼罩在阴云下'这个惯用的说法中包含着许多事实。要想清楚地观察他是不可能的,尤其是通过别人的眼睛最后望他一眼更是如此。我毫不犹豫地将我了解的最后一段情节告诉你,正如他自己说的'我复原了'。人们怀疑,这或许就是最终的机会,就是最后一次令人满意的试验,我猜想他一直在等待这个试验机会以便形成一个对无瑕世界宣布的信息。你记得,我最后与他分手时,他问我是不是很快要回家,而且还突然喊道:'告诉他们……'我等待过,我承认当时感到很好奇,也心怀希望,结果他只喊了句'不——没事'。当时当地就这些,没有说更多的话,没有信息,除非我们通过他的事实语言做出解释,事实语言常常比巧妙组织的词语更高深莫测。其实,他又一次试图表达自己的意思,但是失败了。你可以从那一页灰色附函体会到。他曾试图写点什么,你注意到他平凡的手迹吗?信头上写着'帕土珊要塞'。我猜想,他是要把自己的住房建成一座堡垒式防御工事。那是个了不起的计划:深深的沟壑,高高的土墙,墙头围着木栅,城墙四角有炮台,炮火可覆盖正方形堡垒的每一边。多拉明答应供给他这些大炮。这样,他的人便有了安全感,突然遇到危险时,他的忠实党羽可在城头集合。这显示出他的精明预见,以及他对未来的信心。他称作'我自己的人'——其实是从警长手下解放的奴隶——要在帕土珊居住下来,他们的小屋和小块土地就在堡垒墙下。他住在城墙里面,将以'帕土珊要塞'不可征服的主人自居。你会发现,信上没写日期。日期的数字对他有什么意义?他的手抓住笔的时候,很难说他脑子里想到的是什么人:斯坦……我本人……整个世界……抑或这不过是一个孤寂的人遭遇自己命运时的盲目惊呼?'发生了一桩可怕的事情',写完这几个字,他准是把笔摔在桌子上了,看看这些字下面墨滴尖头的朝向就不难看出。过了片刻,他再次以沉重的笔画书写,仿佛他的手变得像铅一样沉重。他写了另外一行。'我现在必须立刻……'他没有写下去。其实并没有什么事,不过是他看见了一个非常宽阔的海湾,声音甚至目光都无法横跨它的宽度。我能理解这个。他被这种无法解释的现象制服了,他被自己的个性制服了,那是命运的礼物,而他尽了自己最大的努力去掌握自己的命运。

"我还给你寄去一封旧信——那是一封很老的信。人们发现,那封信曾仔细保存在他的书桌里。信是他父亲写的,从日期上看,他准是在登上帕纳号前几天收到的。因此这一定是他从家里收到的最后一封信。这么多年来,他一直将它珍藏在身边。那位好牧师非常喜爱自己当水手的儿子。我浏览过这信。信中除了父爱并没有其他东西。他告诉他'亲爱的詹姆士'说,他的上一封信'非常真诚有趣'。他不让他'粗暴地给人们仓促作判断'。信一共有四页,其中有一般的道德教谕和家庭成员的消息。汤姆'接受了命令'。卡丽的丈夫'赔了钱'。老人接着对天意和宇宙的秩序表示了自己的信心,不过对其中小小的危险和小小的幸运十分敏感。读信时,我们几乎可以看到他的外貌:头发灰白,态度安详;可以想像出他坐在自己神圣的书斋里,周围书架上摆满了书,十分陈旧,却还舒适,他在这里凭着良心反复思索着信仰和行善积德,考虑着生活的行为和惟一得体的死亡方式;他在这间书房里写出过许多布道辞,他也在这里对远在地球另一面的儿子讲话。但是距离算得了什么呢?美德放之四海而皆准,信仰只有一个,生活的行为准则只有一个,死去的方式也只应该是一种。他希望他'亲爱的詹姆士'永远不要忘记,'人一旦屈服于诱惑,立刻招致彻底堕落和永远毁灭的危险。因此,不论在任何动机下都要保持坚定,永远不做你认为错误的事情'。信上还谈到一条宠物狗,一匹'你们男孩子以前骑过'的小马由于上了年纪已经瞎了,不得不开枪送它上天。老人乞求上天的祝福。接下来是替母亲和姐妹们向他致意……不错,他多年前寄出的这封信中并没有多少内容。现在信纸已经发黄磨损。这封信根本没有回信答复,不过,谁说得准,他会以什么方式跟远在地球另一面的亲人交谈呢? 那些平淡沉稳的人们生活在安静的一隅,没有冲突,没有危险,像坟墓里一样平静,均匀地呼吸着安静清廉的空气。令人惊异的是,他经历过那么多事件,却属于那种圈子。他们那里什么都没发生,他们没有出乎意料的事情,不需要掌握命运。在他父亲的详细描述中,他们活生生跃然纸面,瞪着清澈而无意识的眼睛,那些兄弟姐妹全是他的骨肉同胞。我似乎还看到他终于返回故里,不再是分手时那个博大的神秘中心里一个小白点,而是个高大的身影,漠然站在他们无忧无虑成长起来的身体中间,带着浪漫的外观,不过总是保持沉默,阴郁——笼罩在阴云下。

　　"你可以在几页附函中读到故事中的最后几个事件。你不得不承认,这故事的浪漫性远远超出他年轻时最疯狂的梦想,然而在我脑子里,它有一种深刻而可怕的逻辑,仿佛只有我们自己的想像才会释放出压倒一切的命运。我们轻率的念头在我们头脑中退缩,玩火者必自焚。这种令人惊骇的冒险是一种不可避免的结果,其中最令人惊骇的是其真实性。这种类型的事情不能不发生。人们感到惊异,这种事情竟然在自己身上一再发生。然而它发生了——而且它的逻辑不容置疑。

　　"我把它写下来供你阅读,仿佛我是个目击者。我得到的信息支离破碎,不过我把它们组织在一起,足以获得一幅可辨认的图像。我不知道,他自己会如何讲述。他对我吐露了许多,有时我感到,最好由他本人用自己的话讲述,以他随意而带有感情的声音,以即席陈述的方式讲述,其中可能有困惑,有苦恼,有点痛苦,然而不时夹杂一两个富有本人特征的字眼,符合东方生活特征。很难相信他永远不会回来了。我永远不会再听到他的声音,也不会再见到他让太阳晒成粉红色的光滑面孔,不会看到他额际那道白线,不会与他年轻的眼睛相遇,那是一双由于激动而变得深奥难测的蓝眼睛。"

# 结　束　语

　　这个故事到这儿就完了。本故事纯粹是个儿童故事,所以必须就此结束。要是继续往下讲,就可能写成大人的故事。一个作家写成人的故事,他知道该在什么时候结束———主人公的婚姻。但是,作家写孩子们的故事,就必须在最合适的时候打住。

　　本故事中的大多数人物仍然健在,他们生活得富有而幸福。将来有一天,似乎值得接着写其中孩子们的故事,看看他们变成什么样的男人和女人,因此,现在不提他们以后要发生的事情是最明智的。